D0367045

Les Éditions du Boréal
4447, rue Saint-Denis
Montréal (Québec) H2J 2L2
www.editionsboreal.qc.ca

C'était au temps des mammouths laineux

DU MÊME AUTEUR
AUX ÉDITIONS DU BORÉAL

Le Moineau domestique, Guérin, 1991 ; Boréal, 2000.

Quinze lieux communs (avec Bernard Arcand), 1993.

De nouveaux lieux communs (avec Bernard Arcand), 1994.

Du pâté chinois, du baseball et autres lieux communs (avec Bernard Arcand), 1995.

De la fin du mâle, de l'emballage et autres lieux communs (avec Bernard Arcand), 1996.

Des pompiers, de l'accent français et autres lieux communs (avec Bernard Arcand), 1998.

L'homme descend de l'ourse, 1998 ; coll. « Boréal compact », 2001.

Du pipi, du gaspillage et sept autres lieux communs (avec Bernard Arcand), 2001.

Les Meilleurs Lieux communs, peut-être (avec Bernard Arcand), coll. « Boréal compact », 2003.

Récits de Mathieu Mestokosho, chasseur innu, 2004.

Les corneilles ne sont pas les épouses des corbeaux, coll. « Papiers collés », 2005.

Serge Bouchard

C'était au temps des mammouths laineux

Boréal
COLLECTION PAPIERS COLLÉS

Dépôt légal : 1er trimestre 2012
Bibliothèque et Archives nationales du Québec

Diffusion au Canada : Dimedia
Diffusion et distribution en Europe : Volumen

Catalogage avant publication de Bibliothèque et Archives nationales du Québec et Bibliothèque et Archives Canada

Bouchard, Serge, 1947-

C'était au temps des mammouths laineux

(Collection Papiers collés)

Comprend des réf. bibliogr.

ISBN 978-2-7646-2110-3

1. Québec (Province) – Mœurs et coutumes. 2. Québec (Province) – Conditions sociales – 21e siècle. 3. Civilisation occidentale – 21e siècle. 4. Indiens d'Amérique – Amérique du Nord. I. Titre. II. Collection : Collection Papiers collés.

FC2918.B68 2012 306.09714'0905 C2011-942662-5

ISBN PAPIER 978-2-7646-2110-3

ISBN PDF 978-2-7646-3110-2

ISBN ePUB 978-2-7646-4110-1

À Bernard,
dont la vie me manque.

C'était au temps des mammouths laineux

Je dis souvent à mes petits-enfants, et à ma fille aussi, encore jeune et toute petite, qu'il fut un temps où les ordinateurs n'existaient pas. Je leur explique que ce temps-là, je l'ai connu. Oui, mes enfants, mes beaux petits-enfants, j'ai vécu dans un monde sans touches ni écrans. Cela leur semble si impensable qu'ils en restent bouche bée, incrédules, me dévisageant comme si j'étais un homme de mille ans. Je puis en mettre plus et en remettre encore, car il y a tant à dire. Oui, mes enfants, quand j'étais petit comme vous, il n'y avait pas de télévision dans nos maisons. J'avais huit ans quand mes parents ont acheté la première, en noir et blanc, bien sûr, avec des antennes bizarres qui ne garantissaient jamais une bonne réception. Plus je leur parle de ma jeunesse, plus leurs yeux s'écarquillent, plus le doute s'installe dans leur petit cerveau : cela n'est pas possible, c'est une histoire de grand-papa, comme lorsqu'il nous raconte qu'il a mangé de l'ours, couché sous la neige ou vu des milliers de caribous. Ou la meilleure encore, qu'il a failli mourir noyé dans l'océan Arctique, un jour sombre de novembre où il fut recueilli par une belle Esquimaude qui l'avait pris pour un blanchon.

En vieillissant, on se raconte des histoires, on en raconte à ses enfants et le reste coule de source, qui est la source universelle de notre propre nostalgie. Doit-on priver les vieux de leurs primales nostalgies ? En disqualifiant avec violence les mondes qu'ils ont habités, qui n'existent plus, mais qui les habitent encore ? Même si tout se bouscule avec une puissance et une finesse technologiques sans précédent dans l'histoire, il reste que le temps d'aujourd'hui a toujours existé, qu'il existera toujours, comme existeront toujours les temps passés et les temps à venir. Je raconte à mes enfants que je suis né dans un autre pays, celui de mon enfance, je leur dis qu'eux-mêmes entreprennent un voyage qui les mènera très loin de là où ils se trouvent aujourd'hui, en face de moi, en face de leur écran, les écouteurs de leur iPod dans les oreilles, et que leur monde, comme le mien, s'en ira lui aussi au rayon des *Charriages, réminiscences et menteries.*

Quand la télévision est arrivée dans notre salon, la programmation n'était pas continue, il n'y avait pas de petits bonshommes toute la journée. C'est lentement que la télévision s'est infiltrée dans nos vies, il a fallu qu'elle emprunte le fil du temps. Elle n'est donc pas débarquée comme ça, à pleine puissance, avec ses chaînes spécialisées, son câble, son satellite. Non, elle s'est révélée par petits pas, une image après l'autre, améliorant sa définition étape par étape, et il a fallu des années avant qu'elle n'affiche ses vraies couleurs. On sait que les Papous avaient une peur bleue des caméras et des appareils photo. Comme eux, par une sorte de prudence primitive, nos parents ne voulaient pas que nous regardions librement ce nouvel écran. *Pépinot et Capucine,* la lutte des nains, une période de hockey les soirs de coupe Stanley, et c'était tout. Une heure ou deux par semaine. Oui, nos parents avaient la prudence élémentaire des Papous et des Zoulous, ils savaient que la télévision pouvait avoir des effets pervers sur notre vision. Ils se méfiaient de cette lampe mystérieuse qui éclairait en faisceaux nos visages ébahis.

Et mes enfants de demander : que faisiez-vous sans WiFi, sans iPod, sans chaînes câblées spécialisées, sans réception HD, sans jeux d'ordinateur, sans Internet, sans vidéos dans l'auto, sans cinéma 3D ? Je leur réponds que je ne me souviens plus très bien. Nous ne faisions rien de spécial ; nous faisions beaucoup de vélo en été, cela je le sais, sans casque ni aucune surveillance. Pendant tout un été, le mien de vélo n'avait même pas de freins ; il ne s'est trouvé aucun adulte pour s'en alarmer.

Nous étions des petites bandes pédalantes, patrouillant les ruelles du quartier, à la recherche de rien du tout. Nous imaginions des courses, des fuites et des poursuites. Non, je ne me souviens plus très bien ; mais il y avait d'interminables parties de hockey dans la rue, avec une balle bleu blanc rouge, sur la neige, sur l'asphalte. Des parties de baseball en été, avec une vieille balle supposée être dure et blanche, mais qui était brune, molle et décousue ; quelques baignades dans le fleuve, et d'autres niaiseries sans importance. Tout est bien flou et mon bâton de mémoire n'a pas la puissance souhaitée.

Il est vrai que nous étions dehors, automne, hiver, printemps, été. Cependant, je crois qu'il n'existait pas, le mot *activité.* Nous n'avions pas d'ordinateur, pas de parents pour jouer, pas d'intervenants pour nous encadrer, pas de moniteurs. Il n'y avait pas de téléphone cellulaire, il n'y avait pas de téléphone sans fil. Nous ne téléphonions pas. Je ne me souviens pas d'avoir eu une conversation téléphonique avec un ami. Les photos de nous étaient rares, parfois très belles, car nous étions endimanchés, mais personne ne disait que nous étions beaux. Ma mère n'a jamais mis mes dessins sur la porte du réfrigérateur, il n'y avait pas de photos de nous dans la maison, nous n'avions pas de chambre particulière. Petits, nous étions trois à dormir dans la même pièce et le soir, avant de nous endormir, je racontais des histoires inventées à ma sœur et à mon frère.

La vie était plate à mourir. Après le vide des vacances d'été, l'école recommençait, avec son train de nouveautés qui n'en étaient guère, un tableau vert plutôt que noir, de la craie jaune plutôt que blanche, l'arrivée d'un nouvel élève, la disparition inexpliquée d'un ancien, et l'attente de la neige, peut-être même des grosses tempêtes. L'hiver, nous pelletions, des patinoires, des entrées de garage, des trottoirs. Je me souviens d'avoir beaucoup pelleté, apprenant l'art de créer des petits chemins parfaits dans la neige, des sculptures à la pelle. Alors, pourquoi ce monde qui n'avait rien du tout, qui était sans ceci, sans cela, sans souffleuse individuelle, sans miracle et sans Miracle Mart, sans argent en plus, pourquoi ce monde privé et amputé m'apparaît-il si plein de tout, quand il m'arrive de me le rappeler ? Car nous vivions dans la noirceur, nous allions innocents en noir et blanc, ignorants de tant d'affaires et ignorant l'immensité du monde.

Dans ce temps-là, mes enfants, les chiens allaient sans laisse en ville. Ils se faisaient frapper par les automobiles, ils mordaient les mollets des passants, oui, cela arrivait, et les passants sacraient, bottaient le flanc du chien, mais ils ne se rendaient pas d'urgence au premier hôpital. Il n'y avait pas d'autobus scolaires, nous marchions. Personne ne parlait de sécurité, de violence à l'école, d'intimidation, de compétences et de performances. C'étaient des temps obscurs où les professeurs nous battaient, si nous avions le malheur de mériter la « strappe », courroie de cuir qui nous terrorisait au même titre que les verges, les bâtons et les retenues. Nous donnions et recevions des coups de poing sur la gueule, la cour d'école était une dure école, nous nous frappions la tête sur la glace des patinoires extérieures, nul ne connaissait le terme *commotion cérébrale,* les rondelles nous cassaient des dents. Le sang coulait sur la neige blanche, mais jamais personne n'appelait sa mère.

Je fus gardien de but sans masque, sans casque. Je jouais pour l'équipe de Providence. J'ai toujours aimé ce mot, Providence, le plus beau nom de ville qui se puisse imaginer. Car le frère du Sacré-Cœur qui organisait la ligue de hockey donnait à nos équipes des noms de villes de la ligue américaine. Amusant. J'ai reçu trois rondelles au visage, j'en ai encore les cicatrices cinquante-cinq ans plus tard. Mais nous avions gagné la petite coupe de je ne sais quoi et nous étions contents. Moyen Âge, je vous dis. Le bâton de hockey était précieux, il devait durer deux ans, car un bris signifiait la fin de la saison pour les pauvres malchanceux que nous étions. Il n'était pas question d'en acheter un nouveau sur l'heure. Nous étions de très bons petits joueurs, certains d'entre nous ont même fini dans les rangs professionnels, avec le club des Rangers de New York.

À l'école, les professeurs ne se posaient pas de questions : silence dans la classe et apprends ce qu'on t'enseigne, par cœur, par répétition, par punition, de bon ou de mauvais cœur, apprends. Nous pensions tous que ce temps-là n'était rien d'autre que le temps d'une petite prison. Il ne serait venu à l'idée de personne que l'école fût là pour notre joie et notre plaisir. Le prof était un prof, l'élève était l'élève, le prof avait tous les droits, nous n'en avions aucun, et tout allait pour le mieux. Quand le prof disait quelque chose, personne ne le croyait, surtout quand il parlait de Bernadette Soubirous, du père Brébeuf, de la nécessité d'être charitable ou de l'importance d'apprendre par cœur les curieuses fables de La Fontaine.

Le petit Paquette est mort dans l'incendie de sa maison. Le petit Chagnon s'est noyé dans un trou creusé pour installer l'aqueduc. Le petit Laviolette s'est fait couper les deux jambes, tombé en bas du train auquel il s'accrochait pour venir à l'école. Je ne me souviens pas qu'un psychologue soit venu nous consoler, nous rassurer. Au contraire, on se servait de ces drames pour nous terroriser, pour faire image et nous élever. Mais ça ne fonctionnait pas : nous dormions quand même le soir, à poings fermés.

Je ne me souviens de rien, mais je sais que nous avons joué, beaucoup joué, et que le temps de cette jeunesse s'est écoulé sans qu'on le sache. Nous sommes arrivés, à vingt ans, beaux et belles comme des fleurs, forts et fortes comme des chevaux. Libres de courir où nous voulions, libres de devenir les héros que nous imaginions. Nos parents nous chassaient tôt de la maison, comme la mère ours qui pousse son jeune à s'en aller. Pas question de tourner autour d'un foyer qui n'était plus. Rien n'était parfait, tout allait de travers, mais nous allions ailleurs. On entreprenait des études sans avoir un sou en poche, il y avait les prêts d'honneur, les emprunts divers, le travail en parallèle, personne ne pensait à son manque et à son malheur. Comme s'il faisait toujours soleil, sans compte épargne-études, nous n'avions peur de rien. Nous dormions encore le soir, nous dormions tels des innocents sur la montagne de nos dettes, bercés par les vagues de nos incertitudes.

Nous avons grandi sans Mario Bros. Cela est-il possible ?

Depuis quelque temps, les choses ont beaucoup changé. À présent, les enfants reviennent de l'école avec des phrases qu'ils répètent à tout vent et ils ont tendance à croire tout ce que leurs professeurs racontent. Le phénomène a débuté avec mon fils qui a aujourd'hui trente-cinq ans. *Fumer la cigarette est un crime, contre soi, contre les autres, contre la vie.* On ne lui a rien dit du ciel, de la terre, du fait que Dieu est partout, que le Saint-Esprit a des ailes et une tête frisée, que l'après-midi du Vendredi saint des nuages noirs s'accumulent le temps d'une culpabilité difficile à racheter, personne ne lui a parlé de l'éternité ou des flammes de l'enfer. Non, on lui a parlé de la fumée de cigarette et des poisons mortels. Mais ce premier constat moral n'était rien encore. D'autres certitudes ont suivi : *Il faut sauver la planète, composter, recycler, sauver les animaux sauvages, les arbres, ne pas rouler en voiture, ne pas faire tourner son moteur pour rien, ne pas brûler du bois, ne pas manger de viande de bœuf, il faut respecter les autres cultures. Les gens, avant, n'étaient ni gentils ni fins. « Ils ne savaient pas mieux », il faut leur pardonner. Ils étaient petits, ils s'ennuyaient…* La Bible des Temps Modernes s'écrivait…

Nous, nous ne savions pas qu'il y avait d'autres cultures, nous ignorions tout de la diversité du monde. C'était l'époque des Canadiens français, imaginez ! Et pourtant, il y avait dans ma petite rue un couple de vieux Allemands qui ne parlaient pas français mais avec qui nous parlions quand même, avec les yeux, je crois. Le dépanneur était tenu par une Polonaise qui le parlait à peine, le français, mais qui nous surveillait, avec son regard polonais, pour ne pas que nous chipions des « palettes » de chocolat. Il y avait des Italiens, des Irlandais, ou étaient-ce des Écossais ? Mais il y avait aussi deux familles du Lac-Saint-Jean, les Villeneuve et les Fortin. Dans ma classe, au collège, des Serafini, des Gregorato, des Cofsky, des Horvath, des Dockstader, un Medvedev, des Brown, des McNulty, des Cameron, des Duff et des McDuff, des Campbell, des Nelson et des McLaughlin, un Haïtien perdu et des Beausoleil, des Métis de l'Ouest canadien, de la région de la Tale des Saules. Ainsi que quelques

Français « de France », comme nous disions pour le pain, les pâtisseries et les cerises.

C'était au temps des mammouths. Nous allions libres dans les rues de la ville, à la recherche de petits Anglais pour les insulter et leur lancer des roches, ou dans les boisés en imaginant que nous étions en train de découvrir les grandes forêts vierges du Missouri, chapeau de Davy Crockett sur le coco, par des 30 degrés Celsius qui clouaient jusqu'au bec des grillons (quand on pense que ces boisés étaient de petites forêts à meurtre où les mafieux de Montréal venaient régler leurs comptes). Nous nous blessions souvent aux genoux, nous avions de grosses gales aux coudes durant tout l'été, et l'hiver les oreilles nous gelaient autant que les orteils, à devenir bleues et noires, assez bleues et assez noires pour que je me souvienne encore de la douleur des dégels. Nous n'avions ni pédiatres, ni psychologues, ni instructeurs. Les docteurs faisaient des points de suture, ils nous donnaient des sirops imbuvables, ils grognaient quelques phrases toujours rassurantes. Le dentiste, lui, nous arrachait les dents.

Je regardais le fleuve pendant des heures, juste pour l'imaginer, coulant tranquille dans la nuit des temps. J'apprenais le nom des bateaux transatlantiques par cœur. Je me suis amouraché d'un vieil orme, me disant qu'il avait vu passer les canots des Indiens, j'ai adopté des crapauds que j'allais chercher dans les puisards malodorants. Je rêvais de grand-route, je rêvais de camions, je les suivais en imagination, tous ces gros camions-remorques qui n'arrêtaient jamais de rouler dans les rues de nos récréations, mastodontes que nous devions éviter, dans l'idée simple de ne pas nous faire écraser. Les autobus de la ville était beaux, bruns et beiges, avec des rondeurs humaines. Nous les regardions passer et repasser, jusqu'à reconnaître leurs numéros et le visage des chauffeurs.

Papa était absent. Tous les papas du monde travaillaient au loin. D'ailleurs, personne ne voulait voir cela, un papa à la maison, les jours normaux de semaine. Un père présent, cela sentait le drame, l'accident, le chômage. La place d'un papa était d'être ailleurs, en train de faire de l'argent. Chez nous, il ne venait que pour dormir ou pour jaser avec ma mère, pas question de le déranger. Il venait porter son magot, le vendredi bien souvent, de l'argent comptant dans une enveloppe brune. C'est vrai, dans ce temps-là il n'y avait pas de cartes de crédit, pas de cartes guichet, pas de NIP, pas de mot de passe, il n'y avait que de l'argent papier et des sous noirs. Un monde de cennes noires, de piasses et de deux piasses. Et nous, nous n'avions pas une cenne dans nos poches.

Ma mère aussi rêvait de partir, de travailler, d'argent et de liberté. Nous étions ses amours, certes, mais nous étions surtout ses poids et charges, ses attaches et ses menottes. La maison était son donjon. Elle pestait contre les curés, contre Duplessis, contre le pape, contre les hommes et contre le monde entier. Elle buvait un seul petit coca-cola par jour, avec deux pailles tachées de son rouge à lèvres, plaisir qu'elle étirait tout le jour, parlant au téléphone avec tante Georgette, des heures de hum… hum… hum.

Elle nous éloignait des soutanes et elle nous forçait à lire les œuvres de Jack London. Pourquoi Jack London ? Allez savoir. Elle nous obligeait à lire l'*Encyclopédie de la jeunesse*. Et la comtesse de Ségur ! Pourquoi la comtesse de Ségur ? Allez savoir. *Mémoires d'un âne* et *Croc-Blanc* furent mes premiers livres, avec *Un bon petit diable*. Nous étions tous, d'ailleurs, des bons petits diables. Dans la ruelle, nous avons fait des pièces de théâtre, costumes, scènes, apprentissage de texte, petite bande de comédiens qui peinaient pendant deux semaines pour donner un spectacle qui ne valait rien du tout, un pirate, une fanfreluche, un clown triste… Avec mon vélo, je faisais de fausses livraisons, oui, je livrais de faux paquets à l'autre bout du quartier, en rédigeant de fausses factures. Je jouais, mes enfants, je jouais au livreur, au chauffeur, au camionneur. J'allais loin, jusqu'aux champs en bordure de la ville, j'apprenais la longue distance, la solitude, et mes mollets étaient en fer. Je voulais être un ermite ensauvagé, mais l'affaire se présentait mal, avec tant d'amis dans les alentours.

Sans ordinateur, sans iPad, sans vélo de montagne ; notre vie était notre propre cinéma, et nous faisions une montagne de rien. Comment avons-nous pu grandir dans ce désert de rien ? Sans électronique, sans traitement de texte, sans Future Shop ni méga centres commerciaux, sans rien ? Il n'y avait même pas de McDonald ! Pour manger du poulet Saint-Hubert, il fallait aller jusqu'à la rue Saint-Hubert ! C'était un monde sans poutine ni pizzas congelées. Nous n'avions pour nous sustenter que le Roi de la Patate, une ou deux fois par été. Deux « stimés moutarde-chou », une patate, un petit coke, et le coup était marqué.

J'ai écrit un petit livre, à l'âge de sept ans : *Les Aventures de Tim Horton et de Madame Dessurault.* Ce souvenir est surréaliste quand on considère, mes enfants, que les restaurants Tim Horton n'existaient pas à cette époque. C'était simplement le nom d'un joueur de hockey, le défenseur portant le dossard numéro 7 des Maple Leafs de Toronto. J'aimais son nom, j'aimais son visage sur les cartes de hockey, tout simplement, il avait la gueule du héros qui trottait dans ma tête. C'est quand même incroyable : si on m'avait dit que mon héros deviendrait une chaîne de beignes dont le logo est plus touchant que le drapeau canadien, je ne l'aurais pas cru ! Mon livre, je l'ai écrit avec un crayon à mine, reproduisant les caractères typographiques d'un livre normal, il n'était pas enluminé, nous n'avions pas de crayons de couleurs. Une corde attachait les feuillets à une couverture en carton, sur laquelle j'avais mis le titre en gros, et mon nom. (Fabriqué en un seul exemplaire, c'est aujourd'hui un livre très rare.)

Madame Dessurault, c'était la femme, la beauté de la femme. Comme j'aimais la douceur de la main de ma maîtresse d'école, et l'odeur de son parfum, comme j'imaginais ses jambes ! Combien nous aimions, nous les petits garçons, espionner la voisine qui étendait son linge les beaux après-midi d'été, alors qu'elle s'étirait un peu du bout des pieds, et que nous pouvions apercevoir le début de la rondeur de sa fesse, ce qui nous donnait des mois à rêver ! Notre vie était pleine de ces mystères, de ces cachettes, de ces apprentissages interminables de désirs impossibles, des désirs riches qui allaient occuper nos esprits pendant des années et des années. Car c'était quasiment impossible de voir une femme toute nue, sans YouTube. Nous étions condamnés au désir.

D'ailleurs, côté musique, à l'aube de la révolution millénaire du rock, nous avions deux minutes pour écouter *Don't Be Cruel* d'Elvis Presley au Hit Parade de CKVL, à 17 h 30, avec Léon Lachance. Oui, nous n'avions que la radio. Il fallait écouter la réclame d'un vendeur de tapis, trois navets romantiques et les présentations du disc-jockey pour entendre une seule fois la chanson magique. Et c'était tout. C'était un monde qui « grichait », comme ces 45 tours sous l'aiguille émoussée, ces 45 tours ondulant sur la table d'un tourne-disque fatigué. Il est déjà mort, ce mot qui n'a pas eu le temps de vieillir : *tourne-disque.* Comme sont morts les paysages tristes et quétaines de mon insignifiante jeunesse, gravier, briques rouges, poussière de ciment, carcasses paléo-industrielles des usines surannées, salons funéraires, delicatessen, cuisine canadienne et cantines à patate, térébenthine de la quincaillerie, et autres cours arrière de la petite histoire des quartiers sans nom.

Le temps des grands-pères appartient aux grands-pères. Voilà une planète depuis longtemps explosée, dont les débris s'éparpillent dans l'infini des temps passés. Il n'y avait pas de camps de jour, pas de service de garde, pas de vacances, pas d'avion pour aller voir papa en France ou pour aller dans le Sud en hiver. Il n'y avait rien. On passait des jours et des jours à ne rien faire, devant un poteau de téléphone, entre deux poteaux de clôture, à faire le poteau justement. On s'essoufflait comme des chiens sans laisse, pour rien. On regardait les carouges à épaulettes, dont le cri annonçait la fin de l'école, le début des jours de liberté le long de la *track,* à l'ombre des wagons de charbon, là où poussaient les chardons, les « craquias », les herbes hautes et les herbes piquantes. D'ailleurs, c'étaient nous, ces herbes sauvages des recoins de ville, nous poussions comme de la mauvaise herbe en bordure des routes, comme les quenouilles brunes ou les asclépiades, remarquables anonymes des jardins oubliés.

Peut-on imaginer un monde sans glissades d'eau, sans piscines à vagues, sans fêtes d'enfants, sans montagnes de cadeaux, sans semaines de relâche, sans télés à écran plasma, sans cinémas maison, sans manettes, sans touche *delete,* sans *cut and paste,* sans Facebook, sans Twitter, sans Wikipedia, sans tout ce savoir et ces facilités auxquels nos enfants sont exposés à la vitesse de la lumière, ce qui les rend, paraît-il, si allumés ? Ils pensent vite, ils apprennent, ils savent, ils voyagent, ils voient, ils sont en train de devenir une espèce supérieure, des êtres de clavier, de fichiers, de trucs numériques et de phrases courtes. Que feront-elles, ma fille et mes petites-filles, de tout ce pouvoir ? Que feront nos petits, de tous ces plaisirs ? La terre est Google, vont-ils gougouliser leur vie ? Dans les archives de leur *time machine,* qui leur expliquera le Temps ? Qui leur parlera du doute, de l'angoisse, de la douleur, de la force et de l'élan de vivre ? Qui leur dira que leur main est autre chose qu'un pouce sur une souris, qu'un doigt sur une touche ? Ils verront le monde en résumé de résumés de résumés. Un GPS intellectuel leur montrera tous les recoins de la pensée humaine ; cliquez *La pensée des Navahos,* et vous l'aurez sous vos yeux, expliquée en vingt lignes, sous la même rubrique que *La pensée des Omaticayas* dans la Saga des Avatars, sur la planète Pandora. La guerre des étoiles est mieux connue que la guerre de 14.

Et qu'arrivera-t-il de leur corps ? Les humains ont gagné leurs épaulettes : ils ne forcent plus. Non, le travail de force n'existe plus, la console informatique est devenue un outil de travail. Les professionnels poussent des boutons, ils appuient sur une touche, ils manipulent une commande, ils ont tout réduit à la précision et à la puissance d'un *universal joystick.* Tout est devenu un jeu d'enfants, piloter un avion géant, faire avancer, creuser, pivoter les grosses machines, l'outil est une manette ou une commande à distance. Bravo ! La partie riche de l'humanité a gagné son ciel sur terre. Les cabines des tracteurs sont fermées sur l'extérieur, elles sont chauffées en hiver, climatisées en été, on n'y entend plus la musique du moteur mais de la vraie musique. Plus rien ne force, grince ou hurle, plus rien ne sent l'essence et le diesel, plus rien ne perd de l'huile, il n'y a de sueur que dans les gyms où, sur des appareils surréalistes, faux vélo, fausse charge, faux mouvements, chacun mesure son effort, la perte de son gras, ses pulsations cardiaques et ses performances inutiles. Nous avions peur de devenir des numéros, nous sommes devenus carrément numériques.

Je suis un grand-père du temps des mammouths laineux, je suis d'une race lourde et lente, éteinte depuis longtemps. Et c'est miracle que je puisse encore parler la même langue que vous, apercevoir vos beaux yeux écarquillés et vos minois surpris, votre étonnement devant pareilles révélations. Cela a existé, un temps passé où rien ne se passait. Nous avons cheminé quand même à travers nos propres miroirs. Dans notre monde où l'imagerie était faible, l'imaginaire était puissant. Je me revois jeune, je revois le grand ciel bleu au-delà des réservoirs d'essence de la Shell, je me souviens de mon amour des orages et du vent, de mon amour des chiens, de la vie et de l'hiver. Et nous pensions alors que nos mains étaient faites pour prendre, que nos jambes étaient faites pour courir, que nos bouches étaient faites pour parler. Nous ne pouvions pas savoir que nous faisions fausse route et que l'avenir allait tout redresser.

Sur les genoux de mon père, quand il prenait deux secondes pour se rassurer et s'assurer de notre existence, je regardais les volutes de fumée de sa cigarette lui sortir de la bouche, par nuages compacts et ourlés. Cela sentait bon. Il nous contait un ou deux mensonges merveilleux, des mensonges dont je me rappelle encore les tenants et ficelles. Puis il reprenait la route, avec sa gueule d'acteur américain, en nous disant que nous étions forts, que nous étions neufs, et qu'il ne fallait croire qu'en nous-mêmes.

Août 2010

De quelques morceaux d’une vie

Je suis l'anthropologue

Oui, je suis l'anthropologue. L'expression me colle à la peau, comme si on disait le docteur, le comédien. Peu importe qui est Serge Bouchard, il suffit de savoir que c'est lui, l'anthropologue que l'on entend à la radio, celui qui écrit dans le journal, que l'on aperçoit dans des documentaires à la télé, bref, cet anthropologue-là qui s'exprime à gauche et à droite. Avec le temps qui passe, et il passe, je réalise de plus en plus que mon métier a un côté qui lui est propre. Il fascine encore. L'anthropologie est pourtant une science humaine comme les autres. Mais, Dieu sait pourquoi, elle a conservé son caractère un peu mystérieux, elle a gardé ses marges floues à l'intérieur desquelles certaines réalités qui échappent aux sciences dures prennent malgré tout une pleine mesure de sens.

L'anthropologie se prête bien à la fiction, à l'imaginaire et au rêve. Cette science de l'ancien a quelque chose de neuf. Elle n'exclut pas l'esprit des gens et le sacré des choses. Au contraire, ce sont ses sujets, elle les recherche et s'en nourrit. C'est le temps et c'est l'espace et c'est l'humanité en tout cela. Le succès populaire d'un personnage comme Indiana Jones montre bien combien l'archéologie fascine. Or, l'anthropologie, c'est l'archéologie de tout. Nous sommes des fabriques à souvenirs, nous multiplions les débris, les artéfacts, les antiquités, nous sommes des traces dans des traces. Il y a les anciennes, les modernes, les actuelles, les à venir, et tout se boucle à la fin en une sorte d'éternel retour.

Puisque rien ne se perd, il suffit de fouiller, de gratter, de creuser, il suffit de se mettre à déterrer les souvenirs, les anciens savoirs, pour s'apercevoir qu'une image n'est jamais ancienne quand elle revient à la surface du jour. Elle revient, c'est tout, comme si elle avait toujours été là, autant vraie que profonde, familière, vivante.

Je suis venu tout jeune à ma passion. J'avais quatorze ans quand j'ai lu mon premier ouvrage d'anthropologie. C'était un livre de vulgarisation de la paléontologie (*Les Premiers Âges de l'Homme,* de Ashley Montagu). Je n'en suis jamais revenu. Voyez cet adolescent, un après-midi de novembre, dans la sombre bibliothèque de son collège du centre-ville de Montréal, en 1961, en train de lire un livre qui parle des hommes de Néanderthal et de Cro-Magnon. Le temps était maussade ce jour-là, il neigeait une neige grise, des flocons lourds, lents et mouillés. Mais moi, j'étais déjà à l'autre bout des temps, j'étais parti bien loin dans la savane, sous le soleil ancien de la très vieille Afrique, dans le froid fossile des ères glaciaires, dans la lumière vacillante des grottes, dans les forêts mémoires de l'Europe. Il m'était facile de me souvenir de ces longues rêveries d'enfance sous un orme plusieurs fois centenaire, au bord de l'eau, à Pointe-aux-Trembles. J'imaginais le fleuve, mille ans, dix mille ans avant moi, avant le moment présent, avant les grands navires et les cargos, avant les raffineries de pétrole, avant la ville. J'imaginais l'Amérique des Paléo-Indiens.

Oui, la vie est ainsi faite : nous avons parfois la chance inouïe de devenir ce que nous sommes. J'étais au début de ma route, il fallait bien que je la suive. Le chemin fut long qui me mena à l'étiquette d'anthropologue patenté. La première partie fut livresque et studieuse. Je délaissai très tôt la lecture des romans pour me consacrer aux écrits sur les Indiens de l'Amérique du Nord. Dès l'âge de vingt et un ans, je possédais un savoir étonnant sur les Amérindiens, sur les Algonquiens notamment. Dans la patience et la passion, j'avais à peu près tout lu ce qui pouvait se lire sur le sujet. Je le faisais par jeu, par habitude. Je quêtais des livres anciens, des articles rares, je sautais sur les notes et les archives.

Je me suis intéressé aux climats anciens, à la géologie, à l'archéologie, aux fondations de tout. Les mots *Wisconsinien* et *Wurmien, Magdalénien* et *Acheuléen* m'étaient aussi familiers que les titres des chansons de rock'n'roll. Je regardais des cartes géographiques du Canada et du Québec et je me mettais à rêver. J'imaginais ces grands espaces, en vert sur les cartes, ces pans entiers d'immensité, là où il devenait facile de ressentir la tranquillité moult fois millénaire des grandes régions sauvages. Je lisais des noms de lieux uniques, Nichicun, Musquarro, Atikonak, Nouveau-Comptoir, Mingan, Fin du Monde.

À vingt-deux ans, moi, le jeune urbain, le studieux, le rêveur qui aurait pu partir pour l'Australie ou pour l'Afrique, me voilà qui débarque d'un vieux DC-3 (mon premier voyage en avion) juste en dessous du Grand Nord, dans la taïga labradorienne, sur la terre que Dieu donna à Caïn, au pays des Innus-Montagnais, ces Indiens dont je connaissais tout, dont je ne connaissais rien. J'allais vivre l'épreuve du *terrain,* rite initiatique hautement valorisé parmi la tribu des anthropologues.

Je mis des années à essayer de comprendre, des années à apprendre. La langue innue d'abord, que je finis par entendre au prix de tant d'efforts, mais que je n'ai jamais réussi à maîtriser ; puis la mémoire collective, les visions du monde, les manières, l'insaisissable passé, le présent fuyant, l'innommable ennui de la vie sur la réserve indienne des Affaires indiennes. J'appris à sentir le poids de l'espace, l'insidieux pouvoir des armées monotones d'épinettes noires, sentinelles de l'éternité, je touchais à la sacralité de la taïga. Je connus les chamans animistes, les vieilles sages et rieuses, les vieux aux jambes arquées qui marmonnaient, le nez dans leur missel, incapables de lire, mais maîtres de l'incantation, des gens étonnants qui parlaient des forces de la vie, des pierres qui marchent, de la lune et du pouvoir des mouches tout en buvant un pepsi.

Je devenais. Métamorphose bien ordinaire à la portée de n'importe qui d'assez naïf pour voir, aimer et écouter. Je changeai à jamais, ayant compris que derrière les choses se cachent des choses, que sous les apparences il y a des profondeurs, que sous la face des signes foisonnent des rayons de sens. Nous, les humains, sommes des joueurs et des créateurs, nous décoder les uns les autres demande non seulement du temps, beaucoup de temps, mais aussi et surtout de la finesse.

Après cinq ans de ce régime et une maîtrise en poche, je changeai de voie. En 1975, je prenais la route, c'est le cas de le dire, pour me consacrer à l'étude de la culture des camionneurs de longue distance dans le Nord québécois. Alors que je commençais à peine à porter l'étiquette de « spécialiste des cultures amérindiennes », voilà que j'allais aussi être désigné comme « celui qui a fait sa thèse d'anthropologie sur les *truckers* ». L'affaire me prit cinq ans encore, cinq ans de route, de lecture, de rédaction et de diesel. Même taïga, les interminables trajets dans l'infini des épinettes, le froid tranchant, la Radissonie, je savais en moi-même que je tournais autour du même sujet, le nomadisme de l'esprit.

Le reste est une affaire de temps, de mûrissement, de vieillissement, d'heures et de kilométrage. Lentement mais sûrement, ma jeunesse s'en est allée dans les petites cases des choses faites et passées. Je ne suis jamais devenu professeur d'université, par choix, par imprudence, par prétention. À l'époque où j'obtins mon doctorat, un instinct me poussait, fort, à l'aventure. Je voulais exister hors de l'« académie », gagner ma vie sans décrocher d'emploi. Je devins donc chercheur mercenaire, conseiller-consultant, n'importe quoi pour être anthropologue de métier. Mais c'était un métier qui n'existait pas. Il fallait donc tout inventer.

La liste est longue des lieux, des sujets, des projets et des consultations qui m'occupèrent en ces temps-là. Vie de mercenaire oblige. Du Yukon au Labrador, je passai une décennie à tâter de tout, de l'ethnohistoire aux revendications territoriales des Premières Nations, des questions de justice jusqu'aux réalités du changement culturel. Sans m'enrichir financièrement, j'accumulais des richesses de savoirs et de regards.

Je puis dire aujourd'hui que j'atteignis la maturité professionnelle vers l'âge de quarante ans. Je sais que c'est bien tard, mais il faut donner du temps au temps. Tout changea lorsque je me mis à l'écriture. Je développai aussi une passion pour la communication orale. Je devins encore plus ce que j'étais, un conteur, un quêteux dans sa quête, un humain sur sa route, en appétit des autres, fasciné par les histoires du monde.

Depuis longtemps maintenant, j'écris comme bon me semble. Depuis longtemps aussi, je donne des conférences sur un interminable circuit qui me conduit de Kapuskasing à Moncton, en passant par Chibougamau. J'ai gardé intacte ma passion d'origine, les livres rares, les routes les plus longues, les épinettes et les gens. Et je suis encore de bon ou de mauvais conseil pour ceux qui croient que le regard anthropologique a un sens pratique. Ce chemin m'a même conduit jusqu'en Europe où j'ai été pendant plus de cinq ans consultant en changement culturel au sein d'une grosse entreprise industrielle. C'est, je suppose, mon respect pour la notion archaïque de métier qui m'a conduit jusqu'en ces pays-là.

Je suis victime de mes pulsions, en écriture comme en parlure. J'écris sous la forme de très courts propos, forme idéale de la chronique. Lisez *Le Moineau domestique* ou *L'homme descend de l'ourse*, ou la série des six livres des *Lieux communs* que j'ai faits avec mon ami Bernard Arcand. Où l'on verra que l'anthropologie sert à tout : elle va de l'orignal à la corde à linge et du camion à la pelouse. J'ai signé pendant deux ans des chroniques dans le journal *Le Devoir.* Elles étaient bien appréciées du public, ces chroniques, je le sais. Seule la direction du journal les aimait moins, en tout cas pas assez pour me garder. Malgré tout, j'écris au quotidien, comme un pianiste qui fait ses gammes.

Le conférencier, quant à lui, poursuit sa longue course. Ce sont elles, mes conférences, qui me gardent sur la route, sur le plancher vivant des vaches où s'usent lentement les routiers. Je rencontre des Amérindiens partout et je fréquente des forestiers, des policiers, des fonctionnaires, des pêcheurs, des gens et encore des gens. Cela me tue et me nourrit, je refais avec chacun des publics la longue histoire de l'Amérique, de notre histoire à tous, à la recherche de ce que nous sommes, de ce que nous aurions pu être.

Sur un autre front, je suis de plus en plus reconnu par ma voix à la radio de Radio-Canada où je fais des chroniques et des émissions depuis une dizaine d'années. *Les Chemins de travers* des dimanches soir d'été, *Une épinette noire nommée Diesel* et *De remarquables oubliés, Les Lieux communs,* autant de prestations qui me valent à la fin une manière de notoriété. Je suis fou de la radio, certes. À cause de la voix, à cause de l'ouïe, à cause de la magie du média. Voilà la grotte préhistorique de la tradition orale, point zéro de la philosophie, de la poésie.

C'est moi, Serge Bouchard, l'anthropologue, ce petit garçon en quête de lui-même depuis ce sombre après-midi dans la bibliothèque de son vieux collège, là où un seul livre a tout changé. Quand on me demande ce que je fais dans la vie, je ne sais quoi répondre. Historien ? Philosophe ? Mais encore, écrivain, animateur de radio, conférencier itinérant, routier ?

Je me contenterais bien du titre d'humaniste. Vieillir calme et mûrir arrondit. Il est bon qu'avec le temps nos curriculum s'arrondissent aussi, qu'ils prennent la forme d'une belle petite histoire plutôt que le format efficace d'un trop court résumé.

Mai 2005

De l'importance d'aimer les autobus

En 1952, le village de Pointe-aux-Trembles vivait encore. Il était traversé de bout en bout par la vieille rue Notre-Dame, le fameux chemin du Roy, le plus ancien chemin d'Amérique septentrionale, de Montréal jusqu'à Québec et vice-versa. La route longeait le Saint-Laurent, bien sûr, une fidélité d'un autre temps, celui où les voitures suivaient les courbes du fil de l'eau, comme si elles se souvenaient de leur parenté avec les barques et les canots.

La paroisse de Pointe-aux-Trembles, dont le nom est si beau, est l'une des plus anciennes de l'île de Montréal. Sa fondation remonte au temps de Ville-Marie. En 1952, nous y vivions, au bord de l'eau, au bout de l'île, dans un monde irréel, le savions-nous ? parce que rendu au bout de sa course traditionnelle. Une église, un couvent, un collège, des commerces dans le petit centre, de très belles maisons sur d'immenses terrains qui donnaient directement sur le fleuve, des maisons de juges, de médecins, de notaires ; des arbres centenaires, ormes, grands trembles et érables argentés couronnaient la rue Notre-Dame et lui donnaient en été des allures de boulevard éternel, ombragé, où le jeu de la lumière se faisait fin et subtil, comme un tableau impressionniste habité par une image absolue et intemporelle.

Nous étions isolés du monde. Huit raffineries, une cimenterie et une usine chimique, bref, une frontière nous séparait de la grande ville. Pour nous, les premières rues de Montréal commençaient à Tétreaultville, et le centre-ville à la rue Frontenac.

La belle rive était aux riches, le chemin de fer aux ouvriers. Je me souviens des wagons de charbon, des locomotives noires, des maisons pauvres le long de la *track*, de ce petit monde attaché aux *compagnies d'huile*, chauffeurs de camion, plombiers industriels, machinistes, gardiens. Union Carbide, Noranda Copper, BA Shawinigan, Fina, Canada Cement, Joseph Élie et Shell, nous avions la toponymie convenue. Et le fleuve charriait autant d'huile que d'eau, l'air était de la poussière fine de ciment, le raffinage complétait le tout avec une odeur d'œufs pourris que ma mémoire olfactive retient encore aujourd'hui (nous savons tous que les odeurs sont aux sources des plus puissantes nostalgies).

Petits garçons, mon frère et moi, nous attendions souvent le retour de notre père qui conduisait un taxi en ville. C'était un jeu, c'était à qui apercevrait le premier la voiture noire, *Diamond Taxi, permis 69,* une Dodge 1954. Il travaillait la nuit et rentrait vers huit heures du matin. Combien de fois nous sommes-nous postés sur le trottoir de la rue Notre-Dame, les yeux rivés vers l'ouest, espérant à chaque auto lointaine que ce serait la bonne ?

C'est là, sans le savoir, que je m'intéressai aux autobus. Durant nos longues attentes, les autobus n'arrêtaient pas de passer et de repasser, ce qui est exactement leur nature dans la vie. Ils étaient beaux, le dos rond, bruns de couleur, brun et beige en vérité. Je commençai à enregistrer leur numéro dans ma tête, le visage de ces machines me devenait familier, la tête des chauffeurs aussi. Ces derniers portaient képi et uniforme gris. L'autobus avait son bruit, accélérant, ralentissant, il avait une allure très caractéristique. Je parle des véhicules Canadian Car des années 1950, numérotés dans les 600, opérant sur la ligne 86, Notre-Dame.

Lentement, sans le savoir, sans y penser, une carte du monde se dessinait dans ma tête. J'allais prendre beaucoup l'autobus dans ma jeunesse. Nous étions de Pointe-aux-Trembles, le bout de l'île, le bout du monde, et nous étudiions au collège Mont-Saint-Louis en ville, angle Sanguinet et Sherbrooke. De 1959 à 1967, nous faisions le long trajet soir et matin, une heure et demie à l'aller, une heure et demie au retour. La fameuse 86 d'abord, qui nous sortait de notre monde, traversant le territoire mystérieux et spectaculaire des compagnies d'huile de Montréal-Est. Nous descendions au terminus George-V, aux portes de Tétreaultville. Munis de notre correspondance, qu'on appelait un *transfert*, nous nous transportions sur la ligne 185 et roulions tout Sherbrooke Est jusqu'au terminus Pie-IX, où nous montions sur la ligne 4, Sherbrooke centre-ville. Cet autobus, enfin, nous menait à la rue Saint-Denis et donc au collège.

Pendant des années, l'affaire des autobus grandit en moi. Je n'en parlais à personne, ni à mes frères ni à mes compagnons de voyagement, mais cela finit par se remarquer. Je connaissais chaque véhicule personnellement, observant au fil des jours son affectation, ses allées et venues. Je notais l'arrivée de nouveaux autobus flambant neufs, les numéros 4600, puis 4700, je notais aussi la mise au rancart des plus vieux. Ce ne fut pas long que je me mis à collectionner les *transferts* du début des années 1960. Ma carte du monde prenait du galon. Notre-Dame 22, Ontario 33 (avec les autobus Mack au visage plus bourru et au corps plus ramassé), Hochelaga 85, Sainte-Catherine 15, Papineau 45, Amherst (avec ses derniers trolleybus) et la fameuse rue Saint-Denis (autobus GM, le style américain de l'après-guerre).

J'étais, adolescent, atteint d'une douce folie. L'autobus avait autant d'importance dans mon éducation que l'histoire de Rome ou la grammaire grecque. Je classais, retenais, observais, je huilais et nourrissais mon cerveau avec de la matière aussi impossible qu'improbable : trois heures par jour à organiser une sorte d'univers mental que je ne pouvais partager avec personne. Mais que de bonheur, que de paix, que de consolations ! L'autobus devenait un rempart contre les agressions constantes de la vie en ces temps-là. J'échouais en mathématiques, un professeur m'humiliait, une fille me brisait le cœur, j'avais toujours mes autobus pour me consoler.

Contre l'obstacle et la routine des petits jours, j'étais devenu un autobus, celui-là, pas un autre, un Canadian Car brun et beige, le numéro 4624. Je ne pouvais pas comprendre ce qui se passait à cette époque, j'étais trop jeune. Seuls un penchant naturel et une sorte d'instinct me poussaient dans la direction *zen* de l'aller-retour, de la Voie Céleste, de la sagesse et de l'humilité — temporalité, espace et terminus. Le mouvement perpétuel entre le repos et la dépense, la fidélité, la répétition, l'unité du lieu, l'incroyable gamme des correspondances ; je faisais là un voyage qu'aucun champignon hallucinogène du chaman de Castaneda n'aurait jamais pu me procurer.

Entre 1967 et 1973, je m'absentai du monde connu, il faut bien que jeunesse exulte, et j'explorai encore plus loin mes univers déroutants. Jeune, j'avais pris l'autobus, je ne pouvais pas me douter que je n'allais plus en descendre. C'est juste que j'empruntai d'autres circuits. Je partis au Labrador et voyageai de par le monde. Ethnographe, je devins maniaque, encore plus fou, certainement plus marginal. J'étais un Algonquin, une épinette, je me plaisais dans l'ethnohistoire, j'abordai les rivages de sujets très obscurs, la sémantique comparée, le structuralisme, les taxonomies, les classifications, les visions du monde, l'oralité, le paganisme, l'imaginaire et le sacré.

Parce que j'étais dans mon autobus et que je n'en descendais jamais, j'ai tout raté des spectacles de ce qui aurait dû être mon époque. En mai 1968, je n'étais pas sur la terre Modernité, les nouvelles de la crise d'Octobre en 1970 ne nous sont pas parvenues au lac Winnouawkapaw, entre Michikamaw et Ministouk Nipi. Dans mon radar, il n'était point de Bourgault ou de Hubert Aquin. Dans ma tête, il n'y avait rien des actualités de cette époque, de ses tendances, de ses idées. Déjà que je n'avais pas été élevé dans la religion catholique pour avoir eu une mère anticléricale et agnostique, imaginez combien j'étais loin des courants de la Révolution tranquille. Je ne fus ni marxiste, ni nationaliste, ni rien. Aujourd'hui encore, lorsque j'entends les discussions à propos de cette période historique, au Québec comme en Occident, je me vois tel un martien au regard éloigné.

(Je n'en voulais ni aux Anglais, ni aux prêtres, ni aux riches, je n'en voulais qu'à la Raison, qu'à l'arrogance du Logos envers nos pensées sauvages dites primitives, décrétées inférieures. J'en voulais à la Raison de l'Anglais comme à celle du Français, à l'étroitesse cléricale, à la pauvreté du riche, à son calcul, à sa discrétion… J'en voulais aux injustices des regards et aux mensonges historiques.)

En 1975, solitaire dans mes itinéraires extrêmes, je suis devenu un camion pour les fins d'un doctorat en anthropologie. Ce n'était pas pour me rapprocher du monde réel. Et je roulais encore plus loin aux frontières de mes études sur l'imaginaire et sur le symbolisme. Dans ma folie, je m'enfonçai. La vie devint une longue route, d'immenses boucles couvrant d'interminables allers-retours (ce qu'elle est longue la 11 en Ontario) et j'aimais les camions comme les aiment leurs chauffeurs.

Et c'est là qu'un beau soir, entre deux voyages, en regardant de vieux papiers cachés dans une armoire, je trouvai une pile fort curieuse, ma collection complète des correspondances d'autobus du début des années 1960 à Montréal. J'avais accumulé ce trésor sans trop m'en apercevoir au temps de mon cours classique et de mes incessants va-et-vient entre Pointe-aux-Trembles et le centre-ville. Voilà que je le retrouvais quinze ans plus tard, ce trésor, et il me fit grand effet. J'avais retrouvé les papiers, je pouvais revoir les circuits et les terminus, mais je me demandais où était passé ce monde qui déjà n'existait plus.

En vérité ils étaient morts, mes autobus, ils étaient morts en 1967 lorsque la ville de Montréal avait décidé de prendre un virage, comme ça, brutalement et sans respect des traditions. De brun, mes autobus avaient tourné au bleu pâle, un petit bleu malade qui allait devenir la couleur de toute la machine politique québécoise, un bleu technocratique et inquiétant. Pire encore, on avait renouvelé la flotte. Il n'était plus rond avec fesses et visage, mon autobus, il était devenu carré comme une vulgaire boîte à savon, anguleux et sans âme ; au lieu de ses yeux bien proportionnés aux arcades bien dessinées, il avait un pare-brise panoramique qui lui enlevait toute mimique, il avait le style d'un aquarium. Sans courbes et sans minois, il perdait tout son charme.

Ah ! la nostalgie, maladie humaine qui est le propre de la conscience, maladie qui nous ramène à nos origines. Chaque cerveau humain est une galaxie et il est des milliards de galaxies. Chacune brille quelque part dans l'espace, chacune a son histoire et sa mémoire, mais les lois sont les mêmes pour toutes. Le local est universel, et c'est justement parce qu'une chose est locale qu'elle est universelle. L'autobus régulier n'est jamais sorti de son circuit, mais il aura malgré tout fait le tour du monde. Le grand secret dans la voûte était écrit dans le ciel, le point de départ sera toujours le point d'arrivée.

Pourquoi ai-je tant aimé les autobus ? Pourquoi ai-je fait cette collection de *transferts* ? Pourquoi ai-je une photographie de deux autobus Canadian Car de la série 600 se croisant rue Saint-Hubert, en 1956, photographie encadrée et bien en vue au mur de ma chambre, cadeau d'anniversaire de ma blonde qui s'est donné la peine de se rendre aux archives de la Société de transport de Montréal pour la retrouver ? Et pourquoi ma blonde a-t-elle entrepris cette quête surprenante ? J'imagine la tête de l'archiviste de la Société quand elle lui a dit que c'était pour un cadeau d'anniversaire : rien au monde ne ferait plus plaisir à mon chum que d'avoir une photographie ordinaire d'un moment ordinaire dans la vie de deux autobus, en hiver, rue Saint-Hubert, la 669 et la 627 se croisant un mercredi après-midi !

Nous sommes tous des petits sauvages attendant sur le trottoir que notre père revienne de la chasse. Il faut tourner en rond, il est impératif de se bercer d'illusions. Pourquoi sommes-nous tous des petits garçons et des petites filles qui attendent leur mère ? Comme s'il existait un autobus imaginaire possédant le pouvoir de nous ramener loin en arrière, jusqu'au début, au tout début. Et la langue populaire est bien normale quand elle a le penchant de dire : *une* autobus. Mais il faut se faire une raison. Nul ne revient jamais sur ses pas. Pas vraiment.

J'étais, enfant, amoureux et émerveillé. J'ai aimé un orme, un crapaud, un bâton de hockey, un mur de pierre, un fleuve magique, une petite voisine, Sylvie, mes frères, ma sœur, mes billes, ma maîtresse de 2e année, Hélène, l'autobus brun et mon vélo. Des images inutiles et sans valeur ! L'orme a été coupé, le crapaud a éclaté, le bâton est depuis longtemps brisé, je n'ai jamais revu Sylvie, j'ai perdu mes billes au jeu, j'ai perdu mes frères et ma sœur, à la vie et à la mort, et mon vélo s'est envolé.

Il n'a jamais existé, ce chauffeur aux cheveux blancs qui conduisait son autobus sur la ligne 86, chemise grise empesée, képi bien droit avec le logo de la Commission de transport, une flèche traversant un cercle, ce chauffeur plus beau qu'un notaire, qu'un médecin, qui tenait le gros volant comme s'il était très important, ce chauffeur qui portait des gants, comme un pilote, comme un géant.

Terminus, tout le monde descend. Rien de tout cela n'existe, tout était une illusion. Mon circuit 86 était un court-circuit, je faisais fausse route. Pourtant, j'ai persisté. J'ai simplement erré, apercevant cet autobus comme les anciens Haïdas avaient pensé le Corbeau, comme les Jicarillas avaient raconté le Coyote, comme les Anishinabes avaient vu le Grand Lièvre.

Nous sommes des voyageurs sur la terre, passagers, très passagers. Le tambour des Innus vibrant au rythme des pas des chasseurs n'était rien d'autre que le bruit du moteur de l'autobus qui résonne dans la grisaille d'un matin infini, en ville. Et ce gros camion Mack qui traverse la nuit en hurlant, avec une âme humaine à bord, c'est encore la même chose. Musique du monde, rebondissement et sifflement, la complainte et la plainte, le bruit répétitif que fait le monde quand il se pense, quand il se crée et quand il passe. Murmure berçant de l'illusion, berceuse, berceuse.

Les chapitres s'ouvrent, les titres défilent, des portes apparaissent où l'on pénètre dans des champs, les territoires inextricables des questions qui resteront à jamais sans réponse. Où nous verrons la théorie des points d'origine, celle des points d'arrivée, suivie d'un essai sur le mouvement perpétuel, réflexion sur l'aller, sur le retour, recherche sur les correspondances, entre l'estomac de la baleine et le ventre de la mère, entre le miel et la civilisation, entre le cru et le cuit, le poids du ciel dans notre tête, la forme de la tortue, les courbes de l'autobus, essai sur l'art, le style, la culture et la représentation, topographie des terminus, relais et réseaux, le visage d'un camion, les circuits entre les cellulles, mythologies et archétypes, la théorie des portes, des murs et des obstacles, des percées et des rebondissements : mon autobus était un saumon qui était un arbre où se cachait la corde pour attraper la lune.

Il me reste mes *transferts,* ma collection de *transferts,* des petits bouts de papier, brun et beige. Je les regarde, perplexe, n'osant les prendre entre mes doigts de peur qu'ils ne s'effacent et se dématérialisent, emportant dans le vide la dernière preuve de mon passage. L'artéfact idéal, petit papier qui prend de la valeur avec le temps. *Terminus Frontenac, tout le monde débarque.*

Au mois de juillet de l'année 1944, *Le Devoir* rapportait la mort tragique du frère Marie-Victorin, décédé lors d'un accident de voiture. Plus bas sur la page, un entrefilet, une petite nouvelle, presque rien. En voici le sujet, qui m'a jeté par terre : on annonçait la mort à Boston de Jack Wimsley, à l'âge de quarante-quatre ans. Jeune prodige, il fut virtuose du piano dès l'âge de huit ans, il parlait huit langues à l'âge de dix ans et il fut le plus jeune diplômé de l'université Harvard en physique nucléaire. Mais à vingt ans, il avait tout abandonné, puis travaillé toute sa vie comme commis obscur dans une bibliothèque de quartier. On ne lui connaissait qu'une publication, un essai de trois cents pages intitulé *De l'importance de collectionner les correspondances d'autobus.*

Février 2008

L'itinéraire d'un enfant gâté par la malchance

Je n'ai jamais cru en Dieu. Disons que je n'en ai jamais fait grand cas. Plus je vieillis et plus la chose devient surprenante à mes yeux ; mes interlocuteurs s'étonnent, doutent et ne me croient pas quand je leur dis que la religion catholique n'a jamais eu de prise sur mon esprit, ni à six ans, ni à quinze ans, ni à vingt ans. Je suis pourtant un modèle 1947, j'aurais dû respirer la sacristie, le Saint-Esprit et le surplis. Cependant, la foi n'est pas un phénomène naturel, semble-t-il. Le déterminisme culturel n'est pas une loi absolue. L'Histoire nous cache souvent l'essentiel et quand j'entends les gens raconter avec émoi « leur enfance à l'eau bénite », je comprends, je compatis, mais je ne me sens pas appartenir à la même tribu. Je fus de ce monde sans l'être vraiment et j'avalai l'hostie sans y croire un instant.

Ma mère était athée. Outre son anticléricalisme virulent et sa haine du pape, elle ne se préoccupait guère de la question de Dieu. Mon père non plus, qui n'a jamais parlé à ses enfants de la chose religieuse, ni du ciel ni de l'enfer. Je n'ai donc aucun souvenir d'une famille à la messe, d'un père ou d'une mère à l'église, de chapelets ou de visites paroissiales. Nul n'invoquait les saints chez moi, hormis le temps d'un bon blasphème qui, pour nous, n'en était pas un. J'avais le droit de sacrer à la maison, pourvu que le sacre en question soit bien placé, bien dit, bien rendu. Pas question de développer un tic de langage. Ma mère aurait plus tiqué sur un « tsé veux dire » ou un « genre, comme » que sur un bon « hostie de face de chrisse de chanoine à marde ! ». Ma mère tenait à ce que nous parlions bien.

Je fus pourtant baptisé, comme mes frères et ma sœur. Je reçus même, sans émoi particulier, une gifle du cardinal Léger, ce qui n'est pas rien. J'avais suivi les cours de catéchisme, fait ma première communion, été confirmé (la gifle du cardinal) et même été, pendant une brève semaine, enfant de chœur, avant d'être expulsé pour cause de fou rire durant l'élévation des saintes espèces. Nous étions des chrétiens sans foi, des imposteurs, en somme. Chez moi, personne ne s'intéressait à Dieu, au Diable, aux péchés véniels ni à la confession. Pour nous, les prêtres étaient des hommes en soutane (possiblement vicieux en raison de leur abstinence sexuelle alléguée, ou parfois sympathiques avec leurs bonnes bouilles de curés simples et honnêtes), la messe un spectacle, l'église un théâtre, et le tout était une affaire bien normale.

Les processions de la Fête-Dieu faisaient partie du décor, sans plus. Pas de drapeaux jaunes du Vatican aux murs extérieurs, aucun crucifix aux murs intérieurs du logement. Ma mère n'a jamais milité pour une société laïque, elle n'a jamais réclamé de cours spéciaux pour nous. D'ailleurs, si ma mère gourmandait Pie XII, elle s'en prenait aussi aux riches, ces voleurs protégés. Elle disait que l'argent était une grande arnaque et que les dés de l'économie étaient pipés. Elle croyait en la conjuration des nantis pour maintenir les pauvres dans la pauvreté. Ma mère n'avait aucun respect pour le travail au salaire du petit pain, et elle ne pensait pas que les riches avaient quelque vertu que ce soit. Bien au contraire. Et puis, elle vilipendait la société patriarcale. Elle croyait que la femme pouvait faire autant et mieux que l'homme.

Autrement dit, à dix ans, mon éducation familiale m'avait déjà montré qu'il ne fallait pas prendre le clergé au sérieux, que la religion était une baliverne, que l'inégale répartition de la richesse était la cause de l'injustice sociale, que la pauvreté était le résultat de l'enrichissement de quelques-uns, que les hommes exerçaient un pouvoir scandaleux sur les femmes, et ainsi de suite. Nous étions en 1957, dans une famille plutôt pauvre de l'est de Montréal. Et rien de tout cela n'était dramatique. Méfiez-vous de l'élite, des premiers de classe et des enfants de riches ! La justice n'est pas une valeur en ce monde. Pie XII est un fasciste, Duplessis un vendu, et le reste est à l'avenant. Voilà ce que nous entendions, en guise de sermon, autour de la table de cuisine.

Je m'intéressai très tôt à l'histoire et à la géographie. J'avais treize ans lorsque je décidai de devenir anthropologue, en raison d'un livre lu dans la bibliothèque du collège Mont-Saint-Louis. Car, si ma mère n'avait aucune religion, elle en avait une dans le fond, la religion de l'éducation. Selon elle, s'il existait une issue, elle se trouvait dans les livres et le savoir. Il y avait des livres à la maison, toute l'énergie de mes parents était canalisée vers un seul but : l'éducation des enfants.

Pour une heure de vélo, une heure de lecture. Pour un match de hockey, une heure de lecture.

Éduqués, nous le fûmes. Les quatre enfants firent des études supérieures, deux obtinrent des doctorats de l'Université McGill, l'un en géologie, l'autre en anthropologie. Mes parents avaient gagné leur pari. Mon père, ce héros, ma mère, ce grand maître, voilà qu'ils accordèrent le sens de leur vie : que leurs fils ne soient pas obligatoirement des salariés du petit pain, que leur fille puisse choisir la vie qui lui plairait.

Je rêvais du Grand Nord. En 1969, étudiant en anthropologie, je fus choisi pour aller sur le terrain, au pays des Esquimaux. J'étais à l'époque un étudiant sérieux, passionné par la nordicité, les Algonquins, le chamanisme, les Inuits. C'était un rêve, une passion, assez pour m'éloigner encore plus d'un monde qui m'entourait, certes, mais dans lequel je n'étais pas. Je lisais Hallowell à propos de la vision du monde des Ojibways, et Marcel Mauss sur le concept universel de la Machine, ou Benjamin Lee Whorf sur la notion du temps chez les Navahos. J'étais dans une galaxie plus loin que le Refus global. J'avais vingt-deux ans, j'étais marié, j'avais un grand besoin d'argent pour poursuivre mes études. Dans l'enthousiasme, pour ne pas dire l'euphorie, je me préparai à partir chez les Esquimaux, j'étais naïvement disposé à commencer mon grand voyage d'anthropologue.

Mais le mauvais œil tourna une première fois son attention vers moi. Le professeur qui m'avait choisi fut pris entre-temps d'un désir fou pour une jeune femme, étudiante dans mon groupe. Comme mon ami Bernard Arcand se plaisait à le dire, « le sexe est un sujet puissant ». Ne pouvant se retenir et préférant passer quelques mois dans le Grand Nord en sa compagnie plutôt qu'en la mienne, le bon professeur m'évinça du projet à la dernière minute au profit de la belle. La déception ne fut rien en regard des contrariétés. Je dus me trouver un emploi d'été et je finis au septième étage du vieil édifice des Affaires indiennes à Ottawa. Plutôt que de découvrir la toundra nordique, je passai un été enfermé dans un bureau peuplé de fonctionnaires anglophones sortis tout droit du XIXe siècle ; j'étais franchement loin du compte.

D'ailleurs, c'est à mon compte que j'allais faire mon chemin. Ne pouvant profiter du patronage d'un professeur, je partis seul « chez les Indiens » pour ma recherche de maîtrise. En 1970, j'étais ailleurs, absolument absorbé par une démarche difficile en ethnosémantique et en ethnohistoire. Je passai beaucoup de temps sur le terrain, à Mingan. Pour moi, la crise d'Octobre n'a pas existé, on me l'a racontée. J'étais pauvre comme un fugitif en cavale. Le Centre d'études nordiques m'avait refusé une bourse parce que je travaillais dans la taïga et non dans la toundra. Manque de pot, mauvais œil, je persistai quand même. J'investissais dans mon avenir en m'endettant lourdement. En 1973, je décrochais ma maîtrise en anthropologie, au moment où mon épouse obtenait son bac en géographie. Ensemble, nous devions 18 000 dollars en dettes d'honneur. Cela part bien un petit couple !

Pour ne rien arranger, j'entrepris une recherche doctorale. En 1975-1976, je vivais sur les routes du Nord, dans les gros camions. Encore une fois, le Centre d'études nordiques me refusa des bourses, sous le prétexte, cette fois, que mon sujet sur les camionneurs ne cadrait pas avec ses programmes. Je dus improviser, c'est-à-dire me crever le cœur à travailler pour pallier l'absence de subventions. Tout en « camionnant », tout en rédigeant ma thèse, j'écrivis deux livres, je fis de la recherche et de la consultation au Yukon, à la baie James, en Ungava. En 1980, l'aventure doctorale terminée, j'avais l'âge du Christ, j'en avais l'allure, la fatigue et la pauvreté. Cependant, être comme le Christ quand on est athée, cela ne sert à rien. J'étais docteur en anthropologie, consultant, mais en réalité j'étais sans emploi, endetté jusqu'à la moelle épinière ; rien dans mon histoire ne pouvait impressionner le gérant de la Caisse populaire.

Mais nous avions l'espérance des naïfs. Ma soutenance de thèse en anthropologie sur la culture des camionneurs au long cours avait piqué la curiosité de certains journalistes, celle aussi d'un cinéaste. Bernard Gosselin, de l'école de Pierre Perrault, me fit part de son intention de faire un film sur les camionneurs à partir de ma recherche. L'ONF, admirable institution, acheta les droits. J'étais aux anges, bien entendu. J'allais récolter le fruit de mon labeur solitaire et obscur. Qui sait où cela m'aurait conduit si le film avait vu le jour ? Mais le mauvais œil veillait toujours au grain. Un autre cinéaste, Gilles Carle, ratissa les budgets de l'Office afin de terminer son *Maria Chapdelaine,* assassinant tout de go le projet de Gosselin qui s'apprêtait à démarrer son propre tournage. Les camionneurs retournèrent à leur camion, moi je rentrai chez moi, et plus personne ne reparla jamais de l'affaire.

Intimidé par les créanciers, je me mis en quête d'un emploi stable. Je ne sais combien de cégeps refusèrent de m'embaucher comme professeur, j'étais surqualifié. Ma malchance atteignit son comble lorsque ma candidature fut rejetée par le département de sociologie de l'Université du Québec à Montréal, sous le fabuleux prétexte que les résultats de mon entrevue révélaient des orientations idéologiques incompatibles avec celles du département. Il est vrai que je n'étais pas marxiste. D'ailleurs, la conjuration marxiste avait noyauté les sciences humaines dans les cégeps, ce qui expliquait ma supposée surqualification. J'étais un bonobo orphelin.

Comme un draveur qui saute de bille en bille, comme un funambule qui gigote sur son fil, je devins un artiste de la pige, allant d'un contrat à l'autre, faisant des ponts, des bricolages financiers, des bouts et des rabouts, toujours à grand risque de me casser le cou. Mais je respirais l'aventure, je survivais, et je faisais un beau voyage dans des univers variés : entre 1982 et 1992, j'ai vécu des expériences étonnantes. À défaut de m'enrichir en espèces, je m'enrichissais en ouvrages : je fus chercheur et conseiller en éducation, en droit, en ethnohistoire des Amérindiens, en environnement, en gestion des ressources humaines, en affaires policières, en santé au travail, en anthropologie du travail et des métiers. La nécessité me poussait. J'enquêtais, je rédigeais des rapports, j'enseignais, je donnais des conférences, bref, je m'occupais. J'étais routier, en somme, à l'étude de tous les villages, villes et recoins du territoire. Une bibitte de motel de passe, un petit missionnaire qui portait inlassablement sa parole de bonne entente entre les cultures, de Souris dans les Maritimes à Rayon de Lune en Ontario.

Je publiai en 1991 un ouvrage improbable, *Le Moineau domestique,* une soixantaine de petits textes à propos de tout et de rien. Comme je n'étais accointé avec personne dans le cercle restreint du Québec intellectuel, l'ouvrage passa totalement inaperçu. Un autre livre sur une pile de livres écrits par tous ceux et celles qui écrivent des livres. C'était bien normal. C'était bien dommage aussi, car je tiens encore aujourd'hui ce livre pour important ; il fondait une manière, il révélait un style, il ne se comparait à rien, mais, surtout, il allait engendrer la série des *Lieux communs.* Je dois à Georges Leroux, un authentique homme de culture, d'avoir fait du *Moineau domestique* le sujet de sa toute première chronique littéraire à la chaîne culturelle de la radio de Radio-Canada. De tribulations en culbutes, la chance me sourit, je devins une voix à la radio de Radio-Canada et un auteur chez Boréal, grâce aux *Lieux communs,* émission réalisée par François Ismert et diffusée à la chaîne culturelle de 1993 à 1998. Grand malheur, mauvais œil, la chaîne culturelle rendit l'âme, elle fut assassinée. Nous sommes tombés dans un trou noir, en même temps que *Les Décrocheurs d'étoiles* de Michel Garneau. Malgré tout, j'ajoutais des cordes à mon arc. Je commençai aussi une longue collaboration comme chroniqueur à la populaire émission de Marie-France Bazzo. Ce n'était pas le Pérou, rapport au salaire de l'effort, mais cela me donnait de l'allant.

Toutefois, le mauvais œil habitait aussi la maison. En 1995, ma femme mourut, après plus d'une décennie de lutte contre le cancer. Je me retrouvai seul avec mon fils, aussi désemparé que moi, dans le milieu de nulle part. L'argent de l'assurance se perdit dans les impôts, les dettes et les chicanes de famille. Un désastre de téléroman triste. Les très maigres émoluments de Radio-Canada, qui payait soixante-quinze dollars chacune de mes chroniques, ne suffisaient pas à payer l'épicerie, encore moins les anciennes dettes. À cette époque, je travaillais en France à titre d'anthropologue-conseil en gestion au sein d'une grosse entreprise, ce qui me permit de tenir. Épuisé après treize enquêtes de fond et cinq ans de voyagement, à moitié au Québec, à moitié en France, j'acceptai une offre de la Sûreté du Québec pour une étude délicate et difficile sur la culture de la police criminelle. Muni d'un lucratif contrat d'un an, j'étais heureux de rentrer à la maison, et j'amorçai l'impossible mission. Tout allait bien jusqu'au jour où le gouvernement institua une commission d'enquête, invalidant sur le coup mon mandat. Mauvais œil encore, après un mois de travail, je me retrouvai sur la touche, sans contrat. Dans la culture des pigistes, cela s'appelle une mauvaise passe.

En 1998, à cinquante et un ans, j'étais théoriquement en faillite. J'avais une nouvelle femme dans ma vie. En route vers Huberdeau, sur une petite route sinueuse propice aux confidences, je lui dis calmement : j'ai la cinquantaine, il me reste deux dollars dans ma poche. Elle s'en souvient encore ! Cependant, cette faillite, je l'évitai avec patience et longueur de temps. Les affaires reprirent lentement. Je devins collaborateur au journal *Le Devoir.* Je signais, tous les lundis, une chronique pour laquelle j'avais carte blanche. C'était prestigieux mais, encore une fois, pas très payant. Après deux ans, au moment de reprendre la troisième saison, je reçus un coup de téléphone de M. Sansfaçon qui, fidèle à son nom, me dit simplement : plus de chroniques en raison du manque d'argent. Je recevais cent dollars la chronique ! Le journal *Le Devoir* était à cent dollars près de survivre. Je suis honoré d'avoir ainsi contribué à sa pérennité ! Mauvais œil, mauvais œil.

Mes textes ne devaient pas être si mauvais : ils furent tous réunis et publiés dans un livre, *Les corneilles ne sont pas les épouses des corbeaux,* chez Boréal. Mais le livre devait être bien insignifiant puisque malgré le fait que c'était le onzième à paraître sous mon nom, je ne fus invité à aucune, mais absolument aucune tribune, pour le présenter. Ce n'est vraiment pas facile d'être un cow-boy solitaire.

Je poursuivis ma route, c'est le cas de le dire. De Val-d'Or à Gaspé, de Sept-Îles à Kapuskasing, je roulai 70 000 kilomètres par année. J'usai des pneus et crevai des voitures, dans les tempêtes de neige, dans les orages d'été. De ville en ville, de réserve indienne en réserve indienne, au bout des routes de gravier ou de vieil asphalte gris et fissuré, je répétai mes épuisantes conférences, comme un artiste en éternelle tournée, seul dans mon char comme un voyageur de commerce des années 1950. Rouler fait penser, et je pensai beaucoup. Je rencontrais tant de monde, des policiers, des travailleurs forestiers, des commerçants, des fonctionnaires et, bien sûr, des Amérindiens, à Pikogan, Kipawa, Obéjiwan, Betsiamites, Restigouche. Toujours la même histoire, l'Histoire, des heures et des heures de présentation magistrale, performance solitaire, itinéraire sans fin, peut-être même sans but.

Dans les années 2000, tout en continuant de rouler au long cours, je sautai encore plus sérieusement sur le billot de la radio. Avec mes *Chemins de travers, Une épinette noire nommée Diesel* et, surtout, *De remarquables oubliés,* je devins comme un employé de la Société Radio-Canada. Pour la première fois de ma vie, je goûtai aux joies d'une relative aisance, la sécurité disons d'un professeur. J'ai la passion de l'histoire, la passion du micro, la passion aussi des gens. J'allais donc travailler dans la Grande Tour comme un joueur du Canadien s'en va jouer au hockey au Centre Bell, toujours heureux de chausser ses patins. Toutes les quinzaines, un chèque, le monde à l'ordre, les impôts, les cotisations, les assurances. Victime de mes propres illusions, je fis l'erreur de me croire arrivé quelque part. Je délaissai un peu mes vieux circuits, mon vieux réseau de conférences. Je me concentrai sur mes émissions. J'apportais en matière de contenu une vie entière de recherche et d'expérience sur le terrain. *De remarquables oubliés* connut un grand succès, mais il semble — hélas ! — que l'émission porte le titre de son propre destin.

Mauvais œil, mauvais œil, je recevais l'autre jour un simple coup de téléphone, sans cérémonie aucune. Il n'y aura plus de *Remarquables oubliés,* plus de passion et de plaisir, plus de chèque aux quinze jours, plus d'assurance invalidité, plus de radio en somme. *Ne le prenez pas personnel. Ce sont les coupures, vous comprenez, nous devons choisir et…*

Question délicate, en effet ! L'Histoire ne raconte pas le principal. Elle retiendra de ma génération la cohorte des enfants gâtés, qui profitèrent de tous les postes de fonctionnaires, de tous les moyens, de toutes les chances, pour faire des livres, des films, de la radio. L'Histoire parle déjà des baby-boomers, société obsédée de fonds de pension, de retraite, d'éternelle jeunesse, ces épicuriens égoïstes qui n'auront jamais pensé qu'à eux, allant d'années sabbatiques en périodes de congé d'épuisement, toujours payés, toujours couverts. Ils l'ont eue facile, « tout cuit dans le bec », et ils s'accrochent au plat de bonbons. Tout cela n'est pas faux. Je comprends. Cependant, je ne sais pas pourquoi, cela ne me rappelle rien.

Retour à la case départ. Je dois sauter sur une autre bille dans la rivière tumultueuse. Jadis, tous les draveurs finissaient un jour ou l'autre par se casser la vie, les vieux surtout, qui perdaient l'énergie du saut, au fil des saisons. Cela tombe mal, je n'ai plus qu'une jambe, l'autre m'ayant abandonné à la suite d'un bris de dos. « Hostie de face de crisse de monde à marde ! » dit-il avant de sauter dans le vide, une autre fois.

Je n'ai jamais cru en Dieu. Mais je commence étrangement à croire au Diable.

Août 2009

Octobre 1970 ou La mouche qui sait

Mes souvenirs de la crise d'Octobre sont vagues, ils sont d'un vague coupable, inavouable. J'avais vingt-trois ans à l'époque, et le pouvoir répressif aurait dû m'avoir à l'œil. Mais je n'étais pas sur les listes des suspects ; la police secrète ne s'intéressait pas aux anthropologues américanistes. Cet automne-là, je terminais la lecture de *Naskapi: The Savage Hunters of the Labrador Peninsula* de Frank G. Speck, ouvrage publié par les Presses de l'Université de l'Oklahoma dans les années 1920. Si les policiers étaient venus consulter ma bibliothèque afin de m'inculper de sédition, de lèse-majesté ou de quoi encore, je ne sais pas ce qu'ils auraient pensé de mes milliers de fiches sur le chamanisme boréalien circumterrestre, sur la scapulomancie sibérienne, sur la classification des langues amérindiennes, et ainsi de suite. J'étais passionné par la diversité culturelle originelle de l'Amérique, j'essayais de comprendre le sens du mot *Irinu,* en le mettant en relation avec les mots *Innu, Illinu, Eeyou, Kiristinu* et autres *Illinois,* philologie linguistique algonquienne qui m'isolait du monde, jeune savant fou et néanmoins agréable de sa personne. Car j'étais par ailleurs bien normal, pantalon à pattes d'éléphant, cheveux à la John Lennon, barbe, bagout, dégaine et tous les signes de mon époque. J'avais l'air ridicule de ce temps-là. Mais cela n'est-il pas une loi universelle : le ridicule ne tue point, il fait la mode tout simplement ?

Il faut croire que mes allures étaient un déguisement. Mises à part la religion des Canadiens de Montréal au hockey sur glace, celle des Bears de Chicago au football américain et celle des Expos au baseball, rien ne me reliait aux événements du jour. En octobre 1970, les Sabres de Buffalo jouaient contre nous leur premier match dans la ligue nationale, Henri Richard sautait sur la glace pour sa première mise au jeu. J'étais marié, de ces mariages modernes d'un temps où nous pensions refaire les lois du monde, de l'amour, de la parenté. Ma blonde voyageait sur le continent de la liberté, de la pilule contraceptive, du goût sincère de s'amuser, de voir le monde, de construire son destin. Nous étions des partenaires et des complices dans un plan flou de bonheur, nous roulions en coccinelle, et déjà nous avions vu la Californie, l'Oregon, et parcouru l'entièreté de la route transcanadienne. Nous allions souvent à New York et adorions Chicago. Elle apprenait l'espagnol et moi l'allemand. Il fallait que je la retienne ; elle voulait faire le tour du monde, voir Moscou, refaire sa vie à Madagascar. Et nous n'avions pas un traître sou. Mais nous étions jeunes et beaux, forts au point de ne jamais dormir, il n'y avait pas assez d'espace et pas assez de temps pour l'étalement de nos folleries et ambitions.

J'étais « ailleurs », très loin ailleurs, dans les territoires de chasse des Cris de Mistassini, au poste de Nichicun, et jusqu'à Goose Bay, au pays des Innus. Le *Téléjournal* du jeune Bernard Derome ne parlait pas de la remontée des caribous vers le nord, de l'apparition des orignaux dans le Labrador, des déboires des ours. Le cri de rage d'Harold Cardinal, *La Société injuste*, à propos des conditions faites aux Indiens du Canada, n'avait pas attiré l'attention des journalistes, en 1970. Et je me demandais pourquoi personne ne disait rien dans le journal à propos de la souveraineté des Iroquois ou de l'histoire de Caughnawaga, alors qu'on attachait autant d'importance à la trudeaumanie, au FLQ et autres actualités. Je rageais en secret contre le nouveau drapeau canadien qui s'inspirait de l'érable rouge en lieu et place de l'épinette noire. Je n'en reviens pas encore.

Je ne me suis jamais vraiment intéressé à la politique contemporaine. J'étais distrait dans l'histoire, perdu dans l'espace aussi, un véritable intrus dans ma propre famille. Les grandes questions de l'époque ne faisaient pas le poids devant ma passion à éclaircir le mystère de la Confédération des Pieds-Noirs — dits *Blackfeet* au Canada anglais, *Blackfoot* en américain —, ce corps politique dominé par les Siksikawas, mais regroupant aussi les Bloods, les Gros Ventres (Hidatsas) et les Sarcees. Ces derniers étant des Dénés athapascans, je voyais mal comment ils s'étaient associés à des Algonquiens de l'Ouest. J'ai travaillé très fort pour résoudre l'affaire et je n'étais pas peu fier et émerveillé lorsque j'ai finalement établi les bons liens. Cela m'ouvrait tout un pan de la nature des confédérations dans les Prairies.

L'histoire de ce pays se distingue par la petitesse de beaucoup de ses premiers ministres. Le plus ancien de tous, John A. Macdonald, alcoolique, corrompu et normalement raciste, avait envoyé l'armée canadienne, lui aussi, pour réprimer des rebelles en 1885 ! Connaissez-vous l'histoire de ce vieux de quatre-vingt-dix ans qui se battait pour ses droits de Métis, une Winchester dans les mains, couché dans l'herbe, tirant sur les soldats canadiens du général britannique, et qui est mort, ce matin-là, à Batoche, non pas de vieillesse ou par la négligence d'un CHSLD, mais d'une balle dans le front en criant : *Justice !* Ce vieux Métis s'appelait José Ouellet. Nous n'étions pas en octobre, mais c'était une vraie crise ! Sept pendus plus tard, de nombreux morts dans les champs de bataille et quelques vraies misères plus loin, le rêve de la Nouvelle Nation métisse et des Indiens de l'Ouest était dûment écrasé.

En 1970, de jeunes exaltés, las du morne train des choses, poussés par l'enthousiasme de leur époque, conscients de leur *nous,* ont posé des bombes dans les quartiers anglais de Montréal, ils ont enlevé un homme, James Cross, puis un autre, Pierre Laporte, celui-là de leur propre tribu. Le second est mort par accident, jamais les kidnappeurs n'avaient eu l'idée de tuer qui que ce soit. Tragédie sans nom que la mort inutile d'un homme qui ne méritait en rien ce destin. Nous en savons aujourd'hui tout l'absurde. Il faut relire le manifeste du FLQ pour s'attendrir devant la naïveté des auteurs. Et même Jérôme Choquette, le grand policier inflexible de l'époque, admet aujourd'hui avec candeur qu'il savait en cours de drame que ces jeunes fous avaient un cœur. Des cellules révolutionnaires isolées et marginales, quasiment inoffensives face à un gouvernement hystérique faisant grand déshonneur à la notion de responsabilité dirigeante, voilà l'affaire. Car il ne s'est trouvé personne, à l'époque, pour bien lire la réalité sociale et pour dédramatiser les événements dès le début.

Pauvre Canada. Avait-on besoin d'appliquer la Loi sur les mesures de guerre en octobre 1970 ? Qui a cru que le Québec en son entier allait se soulever, que même les vieux de quatre-vingt-dix ans prendraient les armes en cachette et que nous étions tous prêts à mourir, une balle dans le front, pour que le Québec soit libre, que les travailleurs soient mieux payés, que les Anglais décampent, que le français s'affiche partout ! Avant que n'éclate la crise, la police montée du gouvernement fédéral possédait une liste des révolutionnaires francophones dangereux, une liste aussi précise qu'interminable d'intellectuels armés, organisés et entraînés. Mais étions-nous si nombreux à vouloir égorger des Anglais à Westmount, faire brûler le parlement, emprisonner les politiciens, faire des procès aux Méchants ? Les services de renseignements ne savaient pas encore que les révolutionnaires étaient simplement en train de mariner dans leurs salons enfumés, en essayant de comprendre Marx et Althusser.

Pierre Elliott Trudeau parlait d'une *société juste* — son hoquet politique — et il n'hésitait pas à nous rappeler que le Canada portait en 1970 l'étendard de la démocratie la plus achevée du monde. Plus péremptoire qu'un jésuite, plus délirant que deux, il avait déclaré le Canada bilingue, montrant par là que les Canadiens avaient réglé une fois pour toutes la question de la culture, des identités culturelles et des langues maternelles. Biculturalisme, multiculturalisme en prime, le Canada innovait dans l'histoire universelle. Dans son euphorie abstraite et son enthousiasme rationnel, notre brillant premier ministre, jeune et en forme, séduisant et charismatique, celui-là même qui nous emmenait « ailleurs », dans un nouveau

Canada « dénationalisé », dans le paradis des succès de la Personne, ce premier ministre cultivé avait oublié les Indiens. Juste ça. Or, ces Indiens du Canada faisaient partie du Canada sans en être pour autant des citoyens. Ils n'avaient pas besoin d'une Charte des droits de la personne, les Indiens, ils n'étaient même pas des *personnes.*

La Loi sur les Sauvages de 1876, votée sous l'admirable John A. Macdonald, le dandy aviné, avait bel et bien statué que les Indiens étaient mineurs chroniques au regard de la règle du jeu canadienne. Non, les Indiens n'avaient pas besoin de protection de la Personne, ils avaient besoin d'une Charte pour la reconnaissance du droit des Peuples. Ils avaient besoin de territoires, d'excuses officielles, de réparation, de reconnaissance, d'oxygène, d'un peu de respect. Ils n'avaient certes pas mérité les réponses impolies d'un politicien arrogant qui, de toute façon, méprisait aussi les « mangeurs de hot-dogs », aussi bien dire les « mangeurs de lard ». Cette dernière expression appartient à l'histoire du Canada, elle représente le nom précis que les Anglais et les Américains donnaient aux francophones d'Amérique, les Canadiens. Il y a comme un mélange culinaire assez codé dans la fameuse expression, puisqu'elle est également reliée à l'insulte « *pea soup* ». Il y a de la couenne de cochon derrière cette poésie du mépris.

Dans la démocratie la plus avancée de l'histoire de l'humanité, des Sauvages spoliés et humiliés, vivant dans le désespoir et l'indignité, existaient à la marge de l'actualité, loin de l'œil des journalistes, loin du cœur des éditorialistes. Car qui connaissait les peuples autochtones du Québec dans les milieux cultivés de la presse écrite ou parlée en 1970 ? Personne. Il y avait Bill Wabo dans *Les Belles Histoires des pays d'en haut,* et le beau Jean-Paul Nolet dont la voix grave étonnait à chaque fois qu'il apparaissait sur nos écrans de télévision. Parfois, quelqu'un soulignait que ce Jean-Paul était un Indien, un bel Indien, puisqu'il avait une fort belle gueule, d'Indien.

Je n'ai pas de souvenirs brûlants d'octobre 1970. Si ce n'est que Monsieur Trudeau, ayant rejeté fort impoliment les demandes collectives des Premières Nations, était sur le point de mettre sur pied un mécanisme complexe de revendications territoriales des Indiens à l'échelle nationale. « Faites la preuve que vous avez formé, jadis, un peuple, faites la preuve que vous avez occupé un territoire, prouvez-nous que vous êtes ! Nous vous donnerons des fonds pour que vous développiez vos argumentaires et pour que vous puissiez payer vos avocats. Au terme de ce long corridor juridique, la Cour suprême tranchera. » Pauvre Cour suprême !

En 1970, j'arrivais à Mingan-Ekouanishit. L'homme qui m'a reçu, nourri, logé, puis apprécié, avait un beau visage à la peau très foncée, cuivrée, des dents très blanches, des yeux noirs, des cheveux encore plus noirs, le visage rond, le regard bon, un très beau sourire. Il ne parlait pas français, ni anglais. C'était un Innu, un vrai chasseur, un homme du territoire. Il s'appelait Michel Moenen, il descendait des familles qui exploitaient les territoires en haut de Tsheshashit. Il avait une façon de marcher sur les affleurements rocheux, de s'asseoir sur ses mollets, il transportait son canot comme personne, faisant corps avec l'esquif, devenant une sorte d'insecte habile traversant une passe abrupte. Il avait la gentillesse de la préhistoire, une délicatesse profonde, et une patience tibétaine. Il était plus proche des Mongols que des Celtes, disons.

J'avais vingt-trois ans et je vivais là-bas. George, mon ami, avait le même âge que moi ; lui, il descendait du clan des Mestokosho, des grands chasseurs du Labrador. Il est mort aujourd'hui. De son vivant, nous avons été comme deux frères, vivant une amitié profonde qui s'est scellée en 1970, justement. Il me racontait souvent l'histoire de son séjour en prison au Havre-Saint-Pierre, en 1967. C'est que tout jeune, il avait fait des dommages aux installations du club privé de pêche au saumon qui appartenait aux Américains. Il avait sectionné le fil du téléphone, brisé des vitres. Dans sa tête de jeune Innu rebelle, il accomplissait ces gestes pour protester contre ce qui lui apparaissait injuste et anormal, l'interdiction faite aux Innus de pêcher le saumon, la prise en otage par des étrangers de la rivière comme si elle était leur propriété privée. La police l'avait arrêté et conduit en prison. Il avait été jugé par un juge de la Cour itinérante, un bon juge qui le réprimanda. *Il n'est pas correct qu'un Indien saccage les biens des Américains.*

Octobre 1970, l'automne à Mingan, les yeux tournés vers le Nord, au-delà de la tête des collines, à travers la vallée de la Patamo Shipu, qui rejoint celle de la Wanaman, en direction de Ouinouakapau, jusqu'à Tsheshashit, un vaste pays perdu, vidé de sa mémoire. J'aurais dû dire à Michel Moenen : « Tu n'existes pas, ni toi ni ta mère, tu es un fantôme, il n'y a plus d'Innus, ta langue n'existe pas, non plus que tes souvenirs. Le premier ministre là-bas, il veut que tu sois un citoyen du monde. Ton pays ne peut pas exister à l'intérieur d'un autre pays, un pays nommé Canada qui est un contrat social et juridique agréant à la conscience individuelle de trente millions de personnes. Vous, les vingt mille Innus de la Terre, vous n'existez pas vraiment. Les malheurs qui sont les vôtres, la perte de vos enfants, la perte de votre dignité, tout cela n'est que nostalgie de mauvais aloi. Bienvenue au Canada multiculturel sous le chapiteau de la Charte des droits ! »

Le Canada n'avait pas encore vingt ans qu'il avait pendu Riel et une demi-douzaine de Sauvages, à la fin du XIXe siècle, pour réprimer un désaccord. Au début du siècle suivant, Sir Wilfrid Laurier interdisait aux Indiens de voter aux élections fédérales. En 1914, Borden contestait aux Indiens le droit de payer des impôts, sous prétexte qu'ils étaient sous la tutelle de l'État. Le même Borden autorisa la conscription parmi les Indiens, mais refusa de leur verser la pension des vétérans, du fait qu'ils étaient déjà, en tant qu'Indiens, à la charge de l'État. Il suffit ensuite de compléter le tableau en s'instruisant à propos de la sensibilité humaniste de Mackenzie King durant la Seconde Guerre mondiale pour se décourager bien net devant la grandeur de nos dirigeants. Mackenzie King trouvait en effet qu'« un nouveau Juif réfugié au Canada était déjà un Juif de trop ».

Pauvre Canada. Moi, en octobre 1970, je m'en allais « ailleurs ». J'étudiais le livre de Benjamin Lee Whorf sur la notion de temps dans la langue navaho, sur les concepts de vision du monde et de structure linguistique. Whorf était un ancien vendeur d'assurances qui s'était pris d'une passion folle pour la langue des Navahos. Acoquiné avec Edward Sapir, le grand ethnolinguiste de son époque, il avait formulé une hypothèse considérable, *l'hypothèse Sapir-Whorf*, suggérant que la langue structurait la réalité, si bien que la diversité culturelle et linguistique des humains traduisait des façons différentes d'appréhender le monde. Autrement dit, la culture, loin d'être un vernis folklorique, est un ancrage très profond qui donne un sens à la grande affaire qu'est la conscience d'être.

Le lion d'un Britannique n'est pas le bison d'un Métis, qui n'est pas le corbeau d'un Kakwakawa, qui n'est pas l'orignal d'un Canadien français et qui n'est surtout pas le loup d'un Français de France *(grand méchant loup qui mange les mères-grands des petites filles habillées de rouge)*. Qu'est-ce qu'une mouche à chevreuil dans la tête d'un Innu ? Un frappe-à-bord dans la tête d'un bûcheron, un « embarras » dans la tête d'un draveur ? Un truck dans la tête d'un truckeur ? Et moi, de la tribu des Canadiens français, de quoi est-ce que je parle, et de quelle façon ? Comment le monde s'organise-t-il dans ma langue maternelle et quelle est la valeur unique de nos expressions humaines particulières ? Cela veut dire quoi, un pays ? Cela veut dire quoi : manger des bines ?

Il y a le temps, il y a l'espace, il y a la vie, la mort, l'amour, la haine, le bon, le beau, le laid, le rouge, le bleu. Cela est aussi universel que variable, ces univers sont si complexes que c'est leur faire honneur que de bien les envisager. En octobre 1970, mes héros étaient des chercheurs patients et obscurs, des anthropologues, Rémi Savard, José Mailhot, Madeleine Lefebvre, Sylvie Vincent, Laurent Girouard. C'étaient des amérindianistes passionnés. Ils passaient par les mythes, par la langue, par les artéfacts. Y a-t-il une lune américaine ? Un rire précolombien ? Des oiseaux d'été ? Un carcajou facétieux ? Il y avait dans ces questions une sorte de désobéissance, en effet.

Cette cellule de révolutionnaires amérindianistes s'intéressait à une dimension oubliée, autant par les fédéralistes que par les séparatistes ou les gauchistes : les Indiens ne formaient pas un syndicat, ils n'étaient ni anglo-orangistes, ni franco-victimes, ni néo-canadiens.

Rémi Savard a vu très vite que ce qui blessait le plus les autochtones, c'était l'insulte folklorique faite à leur intelligence culturelle, insulte qui s'apparentait tout à fait à celle faite à la culture franco-canadienne. Ta langue n'est pas une vraie langue, ton histoire n'est pas une vraie histoire, ta culture est juste assez bonne pour en faire une carte postale. Les Rémi Savard de ce monde cherchaient à réparer une blessure, celle de l'ignorance engendrant l'impolitesse, exactement la position de Trudeau en face des Indiens.

Les anciens Canadiens français, aux Escoumins, en Abitibi, au Havre-Saint-Pierre, à Metabetchouane, connaissaient bien les Innus, les Algonquins, les Abénakis et ainsi de suite. Sur la Côte-Nord, de nombreux francophones comprenaient hier la langue innue. Il y eut des mariages, des amours, des amitiés, des aventures communes, même si les mondes étaient bien différents et bien distincts. Et je ne parle pas du métissage et de la francophonie dans l'Ouest canadien, dans les Territoires du Nord-Ouest, mais aussi au Kansas et en Oregon. Tout cela fut oublié au profit d'une vision vraiment simpliste du Canada moderne : deux peuples fondateurs, deux cultures, deux langues. Tout cela fut oublié, point. Le Québec nationaliste allait-il refaire aux Indiens ce que le Canada faisait à la culture distincte du Québec ?

En octobre 1970, je m'apprêtais à travailler sur le mystère des quatre sortes d'ours Innuat : *Mashk, Wapashk, Mistamashk* et *Katshitouashk.* Je ne dis rien de la mouche à chevreuil qui est en fait *Missnak,* la maîtresse des caribous et des rivières à saumons, comme le soulignait un informateur montagnais de Frank G. Speck en 1927. Les Migmags et les Innus auraient certes des raisons de faire « une crise » pour attirer l'attention sur le drame des saumons et autres indignités inacceptables. Ils auraient pu enlever un pêcheur américain pour manifester leur mauvaise humeur. Mais cela, la police l'ignorait. La police, comme le gouvernement, ne prenait pas les Indiens au sérieux. Il n'y a jamais eu à Ottawa de listes d'Indiens dangereux prêts à tout faire sauter au nom de la justice. Les guerriers anciens ne font plus peur à personne.

Non, George Mestokosho ne coupait plus de fils de téléphone, il ne brisait plus les vitres de l'injustice criante. Il essayait avec moi d'interroger les vieux et les vieilles à propos de la maîtresse du saumon, *la grosse mouche qui sait,* il classait avec moi les sortes de canards, il s'étonnait devant la beauté des mots anciens, devant la richesse des histoires oubliées, il disait le poil du lynx, les griffes de l'aigle, les noms des lacs, des arbres, des portages, des lieux de naissance, et la vertu de la patience. Et nous écoutions Johnny Cash.

Pourquoi les ponts s'appellent-ils Pierre-Laporte ? Les aéroports, Pierre-Elliott-Trudeau ? Les boulevards, Laurier ? Pour la même raison que nous avons nommé nos villages Sainte-Cunégonde, Saint-Élie, Saint-Adolphe, Saint-Jovite et jusqu'à l'épuisement du martyrologe. Pour la même raison que nous multiplions au Canada les Kingston, Victoria, Prince Edward, Queensway, Prince Albert et Regina. Tout est auréole ou bien couronne, avant que de plonger dans le florilège des personnalités marquantes de l'histoire canadienne contemporaine. Là où l'autoroute Jean-Lesage rencontre l'autoroute John-Diefenbaker, c'est-à-dire au beau milieu d'un infini nulle part.

Qui se souvient du cri du vieux José Ouellet à Batoche ? Qui se souvient de la tristesse de Gabriel Dumont s'enfuyant vers le Montana ? Qui se souvient du visage désabusé de Mistamashk (Gros Ours), le chef des Cris rebelles, photographié au portail de la prison de Winnipeg en 1885 ? Qui se souvient du Canada qui aurait pu être ? Dans la besace du Canadien instruit et cultivé, dans le visage du Québécois moderne, il n'est pas une seule trace de la « mouche à caribou », l'ancienne maîtresse des saumons. Pas une allusion à la vision du monde de Pied de Corbeau, chef pied-noir, dont nous connaissons quelques bribes intéressantes. Rien sur le combat d'Esprit errant ou sur la mort de Shanadithit, sur l'enlèvement de Donnacona, sur celui de ses fils, sur le sacrifice de Tecumseh ou sur l'exil de Lévi Général. Rien sur l'avenir de dizaines de langues autochtones, toutes riches, toutes belles. Où sont les drames de notre histoire ?

Finalement, mes souvenirs de la crise d'Octobre ne sont pas si vagues. C'est juste que ma pensée s'en va toujours ailleurs, elle suit immanquablement un chemin « de travers », elle penche de côté, elle vagabonde et nomadise, et finit par trébucher dans les fossés de la mémoire. Je m'inquiète de *la mouche qui sait.* Mon pays, ce n'est pas un pays, c'est un arrangement juridique malcommode et une montagne d'inculture historique. Pierre Elliott Trudeau fut un grand premier ministre canadien. Il aimait bien faire du canot, avec sa veste à franges, sur la rivière d'un parc national ; il aimait projeter cette image du canoteur solitaire dans une région sauvage, en s'assurant qu'il n'y ait plus aucun Sauvage dans les environs.

Novembre 2010

Chibougamienne

Première semaine du mois d'octobre. Je dois me rendre à Chibougamau. Nous sommes un mercredi.

Je quitte donc Montréal sur l'heure de midi au volant de mon camion rouge. L'automne a le secret de ces belles journées ; quand le soleil réussit à éclairer aussi fraîchement, on ne parle plus d'ensoleillement, on parle d'illumination. C'est la route idéale, les chauffeurs du dimanche sont à leurs boulots sédentaires, tout ce qui roule est à sa place dans une sorte de course fluide et entendue, la route est tout entière aux routiers. Et la nature promet, le ciel étant bleu d'un bout à l'autre, les vents calmes, le chemin propre comme si quelqu'un l'avait lavé. Ce n'est pas froid, ce n'est pas chaud, rien ne s'oppose à rien.

Cela commence par la 40, l'autoroute nationale et nationaliste, le nouveau Chemin du Roy, la route des technocrates et la réponse provinciale à la transcanadienne fédérale de la rive sud du fleuve. Je m'échappe par la porte de Repentigny, songeant à Agathe du même nom dont je viens d'enregistrer l'histoire pour la radio de Radio-Canada. Agathe de Saint-Père, femme du seigneur LeGardeur de Repentigny, grande femme d'affaires qui fit fortune vers 1660 dans le textile, le sucre d'érable et les bonbons, la traite des fourrures et la spéculation immobilière. L'histoire est un perpétuel étonnement, quand on y pense assez longtemps.

Et justement, je pense puisque je roule. J'écoute distraitement l'émission de Maisonneuve à la radio. Les sujets d'actualité s'estompent dans ma tête. J'entends le bruit répétitif des commentaires semblables qui s'appliquent à chacun des sujets, mais lentement le son de mon moteur de camion m'emmène ailleurs. Je me dis que les autoroutes changent vraiment le monde. Sur la 40, Berthier est devenu un relais routier, une oasis de beignes et de café, Louiseville un A&W, Yamachiche une grande courbe et ainsi de suite, qui fait que la géographie générale se transforme en une liste de sorties de route. Nous sommes loin de la route *où l'on rencontre,* la fameuse route des face-à-face.

Yamachiche, Maskinongé, Chemin des Petites-Terres, quelle belle toponymie, pourtant, et combien de souvenirs précieux. Je devais avoir six ans lorsqu'un beau dimanche mon père nous a promenés pour la première fois à l'extérieur de Montréal à bord de son vieux taxi qu'il avait tenté de nettoyer pour en faire une voiture familiale, le temps d'un bel après-midi. Peine perdue, je me souviens du vieux taxi, de son odeur, de sa fatigue, l'empreinte de mon père rassurant qui invente des histoires, qui imagine un monde que nous croyons vrai. Il n'en est resté que l'image d'un taxi noir et le souvenir de la voix d'un homme. À Yamachiche, j'avais cueilli du foin que j'avais roulé en une boule de la grosseur d'une grosse bille, et je m'étais dit dans mon espérance naïve de petit garçon que j'allais garder cette petite boule de foin pour toujours. Ce toujours dura bien vingt-cinq ans. Et je me demande maintenant ce qu'elle est devenue, cette boule de foin de Yamachiche.

Je longe le lac Saint-Pierre, je songe à Radisson et je vois des outardes et des oies, de la brume et du sang. Je termine justement la lecture du journal de Radisson, il y a du fantastique dans l'air. La route commence à m'envahir, d'âme et de corps je me mets à respirer au rythme lent de la longue distance. Je frôle Trois-Rivières, je pense aux Algonquins, à Desgroseilliers, mais le pont qui enjambe le fleuve sur ma droite s'appelle Laviolette, pas Tessouat. Voilà que dans ma tête je grogne et je rabâche. Combien de fois suis-je passé ici, sur cette route ?

Je quitte le fleuve et la vallée, j'enfile l'autoroute 55, direction franc nord. Il est court, ce tronçon d'autoroute, rêve brisé d'une transquébécoise espérée, de Sherbrooke au Lac-Saint-Jean, route droite et franche pour un Québec indépendant et debout. C'est bel et bien le symbole d'une route inachevée, inachevable. Les voies divisées viennent rapidement mourir au pont qui passe le Saint-Maurice, une rivière bien magnifique.

La route 155 suit fidèlement le cours de cette rivière, elle la remonte comme un long et sinueux portage, comme si nous filions en canot. Mes pensées se bousculent, les images surgissent. Ce chemin, je l'emprunte depuis 1967. La rivière d'alors était remplie de billots de quatre pieds, de millions et de millions de pitounes qui s'en allaient vers les moulins d'en bas. Aujourd'hui, plus question de racler le fond, de dynamiter les embâcles ou d'assommer les poissons. Le bois voyage en camion. Les draveurs se sont faits routiers.

C'est le temps des couleurs d'automne, je vois des paysages déroutants de beauté. Ces paysages sont très beaux à cause de la vallée, des montagnes rapprochées et de la rivière. De l'autre côté, c'est le parc fédéral, vaste territoire sauvage qui affiche sa pureté. Une chance qu'il est là, ce parc, autant de nature mise en réserve, me dis-je.

J'arrive à La Tuque. Ce nom est peut-être la déformation française de l'*attic* des Algonquins, des Attikameks, des Cris et des Innus, qui signifie « le caribou ». Peut-être. Chose certaine, c'est la petite ville natale de Félix Leclerc. Rien n'y paraît que l'isolement d'une petite ville au milieu des grands bois, capitale des chemins forestiers qui sillonnent la Haute-Mauricie, de Wémontachie à Obedjwan, de Parent à l'Ashapmouchuane. Je songe au pensionnat indien, à la forêt dévastée, surexploitée, à ce terrain d'usine où s'empilent des montagnes de bouleaux qui servent à faire des bâtons de popsicle. Je suis venu souvent donner des conférences en tous ces endroits, je me souviens des nuits de poudrerie, des camions surdimensionnés, du petit motel du bout du monde. Et puis je pense à mon fils qui s'est initié à l'ermitage dans la nature sauvage, sur un lac absolument perdu, entre La Tuque et Obedjwan, ce qui me rappelle le dernier voyage de ma première femme, Ginette, venue avec moi annoncer à notre fils, en ce lac perdu nommé Totem, qu'elle allait bientôt mourir. Aveux solennels au cœur d'une forêt de pins gris, au milieu des cocottes et des perdrix. À La Tuque, il vente toujours un peu plus à mesure qu'on rase les grandes forêts autour.

À tout cela je pense intensément, comme à chaque fois que je passe par là. La route est une blessure ouverte, me dis-je, quand elle refoule des pensées nostalgiques ou des commentaires politiques intimes. J'enfile vers le nord encore, sur le tronçon isolé qui va de La Tuque à Chambord, au Lac-Saint-Jean. La dernière maison est à La Bostonnais. Puis j'attends d'arriver au lac Écarté, à Kiskissink, pour voir la petite pancarte bleue, parfaitement banale, qui me dit : *Vous entrez dans la région touristique du Lac-Saint-Jean.* Je me remets à radoter. Pourquoi faut-il qu'une région ne soit que touristique, pourquoi faut-il qu'elle soit ressource, éloignée, périphérique et tutti quanti ? Pourquoi faut-il qu'une région soit une région ?

Ne pourrait-elle pas être une terre, un pays, une dignité historique, un univers culturel remarquable que nous verrions dans les paysages, dans les histoires inventées et racontées, dans l'architecture et le bâti ? Nous en sommes loin ; l'affichage n'est pas à la fierté, l'architecture n'est pas à l'originalité, les paysages sont laissés pour compte, tout traîne et languit.

En attendant, je languis, moi aussi. Sans m'en rendre compte, perdu dans mes pensées, je me suis emmêlé dans une colonne de gros camions, il y en a devant moi, derrière moi, qui charrient des copeaux, qui charrient de tout. Des panneaux désolants et bosselés, mal placés et à moitié effacés, annoncent tant bien que mal des travaux routiers sur plusieurs kilomètres. Nous n'avons même pas la fierté de notre asphalte, me dis-je. Cela se fait dans l'à peu près. Un camion lourd décharge du sable, nous devons tous nous arrêter quelques minutes. Je descends et je pisse dans le fossé, avec cinq routiers comparses qui font de même, bien entendu. Nous nous voyons sans nous regarder, nous nous comprenons à travers les gestes et les postures de chauffeurs qui empilent les heures dans leur cabine et qui, tels des huards marchant sur terre, se dandinent dans une sorte de malhabileté lente et de déséquilibre calculé. Hors du camion, point de salut. Cinq minutes d'immobilité, des moteurs diesels qui ronronnent, prenons cela pour une pause.

Finalement le lac. Il s'appelait Pikouagami. Suivant une vieille habitude, je fais le plein d'essence à la croisée des routes, celle d'où je viens, de La Tuque, Lac des Commissaires et Lac Bouchette, et celle qui fait le tour du lac maintenant nommé Saint-Jean, jonction qui se fait à Chambord, dont je ne connais que le relais routier pour camionneurs épuisés et ma station-service familière. Je roule depuis plus de quatre heures. J'achète des cachous et un petit ballon de 7 Up sans sucre, songeant à ma santé, et je reprends la route comme on reprend le fil de ses pensées. Roberval, Pointe-Bleue, Saint-Prime, Saint-Félicien. Je suis au bout du lac en direction de La Doré.

C'est l'angélus et le trafic m'abandonne. Je monte la côte vers le nord, au sortir de La Doré. J'entre dans la troisième dimension de la méditation routière. La route est isolée sur une distance de deux heures, la végétation change, les épinettes noires me saluent, la forêt boréale vient lécher le lac tout juste au nord de La Doré. Le soleil se couche et je sais que j'aurai son éclat dans les yeux, à sa descente finale. Il faut être attentif, je roule au train d'un gros camion, plutôt lentement que vite, rapport aux orignaux qui se déplacent beaucoup au temps des amours automnales et qui se retrouvent souvent sur la route. Je songe à cet orignal-là, celui qui a failli me tuer, l'année dernière à Sudbury.

Mais le moment est béni. Ma lenteur me sert bien puisque j'ajuste mon rythme à celui d'un soleil qui se couche. Oui, le ciel devient orange, puis rouge, puis feu. Les têtes d'épinettes finissent par disparaître quand le fond violet vire à la vraie noirceur.

Je suis à Chibougamau à huit heures du soir. C'est une ville minière dans la forêt boréale. Alors, c'est ça. L'entrée par la route est d'une laideur remarquable, dépôts d'essence, garages, entrepôts, paysage de grosses machineries défaites en morceaux, une manière de désordre complet, collection de traîneries immenses empilées çà et là, remorques rouillées, pneus, une cour des miracles pour ferrailles qui ont servi, qui ne serviront plus, mais que l'on garde en cas de rien.

Ville qui affiche son essence éphémère depuis sa naissance en 1954. Cela s'appelle travail, argent, passage, et on repartira quand ce sera fini. L'architecture et l'urbanisme sont à l'avenant. Tout et n'importe quoi, qui va du stucco espagnol au métal ondulé.

Pourtant, le site est beau. J'aime passionnément l'endroit.

Chibougamau, mot marqué au coin de la dérision des coins perdus, mot caricatural en québécois qui signifie calvaire et dépression, ville isolée, laide et perdue, référence d'humoriste : *Bravo, tu es transféré à Chibougamau !* Mais encore, Chibougamau, en langue algonquienne *la rivière qui est un lac*, est entourée de magnifiques plans d'eau, de belles collines et d'une forêt subarctique d'une très grande splendeur. Mais dans la ville, rien ne se voit qui pourrait faire la magie du lieu. En 1969, j'ai fait mon voyage de noces ici, à Chibougamau, pour la beauté du pays, justement. J'ai appris alors que ma vie n'allait pas être normale dans un monde québécois où la seule mention du mot *Chibougamau* fait rire à tout coup.

Je loge à l'hôtel qui porte le nom mythique d'Harricana. Autre mot, autre connotation, celui-là fait rêver les Français de France. J'ai vu bâtir cet hôtel, il y a vingt-cinq ans, investissement visant à satisfaire les Européens en mal de grands espaces, de motoneiges et d'Indiens. Mais il semble bien que ce plan d'affaires soit un échec, puisque l'hôtel est aujourd'hui en décrépitude. Il est vaste, vide, déprimant, mal entretenu, mal servi. J'occupe une suite qui n'a de suite que le nom. Double chambre vide, meublée sans goût, une chambre d'où l'on veut sortir. Ne restent que la télé et le droit de fumer. Je fais venir une pizza, avec un 7 Up sans sucre, je pense encore à ma santé. J'appelle ma blonde à Montréal, bonsoir de Chibougamau, la route a été sans histoire, je t'aime, à 750 kilomètres de toi.

Dans cette chambre laide, je m'exerce à dormir. Mais le

sommeil ne vient pas facilement à qui tombe et sombre dans le tournoi de ses pensées.

Jeudi, je suis debout à six heures du matin. La chambre semble avoir empiré dans sa laideur et son insignifiance, je réalise qu'il y a un bar vide qui occupe un tiers de l'espace de la suite, je veux prendre ma douche mais il n'y a pas de douche, il n'y a qu'un de ces gros bains tourbillons prétentieux, si populaires en ces lieux. Comme si j'allais prendre un bain tourbillon à six heures du matin, un jeudi d'octobre à Chibougamau. Belle place pour s'ouvrir les veines. Je me lave à la mitaine et je fuis le lieu.

Me voilà au restaurant d'à côté, petit restaurant comme il y en a des milliers au Québec, ouvert avant l'aurore, où la serveuse te reçoit la cafetière à la main, te dirige vers la section fumeur juste parce qu'elle t'a deviné à ta voix, à ton allure et à tes gestes, restaurant formica construit avec tous les matériaux pas chers et disparates, avec ces indicibles panneaux affichant le menu, espace chargé de passages humains où la serveuse se situe entre ta mère et ces femmes fatiguées qui cherchent à refaire leur vie brisée, scrutant clients et passants pour voir si les miracles existent, la serveuse des relais routiers et des restaurants ouverts vingt-quatre heures, cuisine canadienne. Deux œufs bacon, pain blanc / pain brun, des cretons au choix.

Je quitte ma solitude à huit heures, alors que je commence à parler devant une cinquantaine de personnes, dans la belle salle d'une école. J'ai devant moi des policiers de la SQ et des administrateurs municipaux. Les policiers sont jeunes, ils sont pareils à mon fils, policier lui aussi. Je suis donc parmi les miens, parfaitement à l'aise.

Et voilà ma routine, comme un comédien en tournée, je répète ma performance. L'Amérique des Premières Nations, l'histoire, les Français, les Anglais, géopolitique, économie, et focus sur le Québec, les Cris, les Attikameks, Chibougamau, Mistassini, le père Albanel, etc. Je monologue, la représentation dure huit heures.

Jeudi, huit heures du soir, je suis brisé, j'ai mal aux jambes pour avoir déclamé mon propos toute la journée, debout. Mais les gens ont beaucoup aimé. Ils sont bouleversés. Les commentaires se répètent qui me réconfortent dans ce que je suis et ce que je dis. On ne verra plus les Indiens de la même manière, me dit-on. Pourquoi nous a-t-on caché tout cela ? L'histoire, c'est passionnant lorsque c'est présenté comme vous le faites. Comment faites-vous pour vous rappeler tout cela et pour parler sans arrêt, sans notes et sans papiers ?

J'ai gagné la conscience, la confiance et le cœur de mon public, une autre fois. Une millième fois peut-être. Mais la soirée sera bien longue, il faudra bien que je la passe. Pas question de rentrer dans la cage de stucco qu'est ma chambre. Demain sera une autre journée de conférence. La clarté de fin d'après-midi me permet de circuler avec mon camion, d'aller voir aux alentours. Il est difficile à Chibougamau de retrouver la nature du lieu. C'est comme si personne ne voulait voir la forêt, les rivières ou les lacs. La ville n'a jamais pensé à être belle, je crois, ni à s'ouvrir sur la beauté.

Soirée tranquille en vérité. Je suis trop fatigué pour faire quoi que ce soit. Le dos, les jambes, la tête, tout craint. Restaurant, platitude, télévision, et je me couche. Longueur de temps.

Le lendemain ramène la même journée. Restaurant à l'aube, lever de soleil sur les cours à scrap, serveuse avec une cafetière à la main, chacun le nez dans son café et un journal, pas le journal du jour, nous sommes trop loin, juste le *Journal de Montréal* de la journée d'hier. Comme si cela faisait une différence. La date importe peu, le *Journal* est éternel, intemporel. C'est de l'encre sur du papier, des feuillets salissants qui saisissent la poussière des petits jours. Lire ce journal trop souvent n'est pas recommandé. Mais *La Presse* n'est pas mieux et *Le Devoir* est pire, univers d'opinions et rapports d'occasion. Vision des titres, culture des magazines.

Moi, je regarde par la fenêtre et j'écris quelques notes dans un cahier noir que je traîne toujours avec moi. J'écris : je suis en Sibérie, très loin dans le nord, dans l'est, dans les chicots des soviets, métal rouillé des sous-marins abandonnés, grisaille absolue de l'exil, laideur, laideur. Pourtant, ce matin, le soleil est radieux, le temps est clair et je vois entre deux murs de tôle une petite portion de colline cambrienne, coiffée d'épinettes filiformes centenaires, vert profond tirant sur le noir, beauté permienne.

La deuxième journée de la conférence a autant de succès que la première. C'est pour moi, c'est pour vous, et il ne faut pas trop s'en faire. Je suis rassuré par les commentaires des gens qui apprécient vraiment ; il est cinq heures du soir, je pars rapidement. Bien sûr, je suis crevé, mais cette crevaison m'est si familière. Je suis aux limites de l'épuisement total, mais cette totalité m'est bien connue. Il est bon de faire le plein quand on est vidé.

Je fais donc le plein dans la rue centrale, à une station-service quelconque. Mais elle n'est pas quelconque, justement. Je me rends compte que je fais le plein à la même station-service de Chibougamau depuis des années ; je connais le visage du mécanicien, celui du pompiste, je reconnais cette vieille remorque dans le recoin du parking, bref tout cela est dans ma tête, paysage familier, laideur rassurante. Les grands voyageurs sont plates et routiniers. Ils repassent dans les mêmes pas des mêmes sentiers, encore et encore. Je laisse Chibougamau derrière, cap sur Montréal, non-stop. Conférence de jour, longue distance le soir, deux journées en une, il faut qu'elles s'usent, les machines.

J'aime ces moments où l'on quitte une ville, un village, une place, sorte d'acquittement et de libération, simulacre de remise en liberté, voilà huit heures de grâce devant soi, dans la solitude, dans le camion. Mes jambes goûtent un repos bien mérité. Je me suis tenu debout seize heures en deux jours, seize heures sur le mode magistral, à m'époumoner généreusement comme un comédien dans sa passion, seize heures à déclamer une composition connue. Qui sommes-nous ? Mémoire des chemins parcourus.

Redécoudre son chemin, revenir sur ses pas, retourner au silence de sa propre voix, les pneus qui sifflent, le vent sur le métal, le bruit du moteur, mon bien-aimé pare-brise. Belle noirceur en vérité, vol de nuit sur le fil de la réflexion.

Maintenant, le pays se devine, il fait noir comme chez le loup, *il fait noir comme dans le cul d'un ours.*

Vendredi, il est minuit, bientôt samedi matin, je suis sur la 40, voilà la porte de Repentigny, l'éclairage de la ville, tant de lumière en un seul endroit, l'éclat d'une étoile au sortir de l'obscurité. Je rentre à Montréal telle une sonde en provenance du cosmos, je sens que je décroche du temps suspendu.

Demain, je repartirai. Ces voyages ne s'arrêtent jamais. Kaspuskasing, Miramichi, Maniwaki, Espanola. Comme si la vérité se trouvait toujours devant soi, au prochain détour, au-delà de ces petites villes, un petit peu plus loin. *J'ai fait mon voyage de noces à Chibougamau,* jadis et autrefois. Rutherglen, Palmarolle, Ragueneau, autant de lieux mystérieux dont on ne revient jamais.

Mai 2007

Quatre vis

Il fallait bien que quelque affaire arrive, un bris, une cassure ; car il est entendu que tout ce qui est s'use, la roche lentement, la vie plus rapidement. Je ne suis pas tombé de haut ou de bas, je n'ai pas eu d'accident particulier. C'est bien naturellement que mon échine s'est désaxée à force de plier, de se redresser, à force de tenir. Blessure des routines accumulées, rien de spectaculaire, fatigue de la structure, comme on dit, *fatigue du métal.* Oui, il fallait bien que quelque chose lâche, vieillissement simple d'un système longuement mis sous tension, usure normale du corps humain, comme l'âge d'une machine, chaque chose ayant son espérance propre, une date ultime au-delà de laquelle plus rien n'est garanti.

Et le corps est un compagnon fidèle pour le temps qui lui est imparti. Mais vient un moment où il vous lâche en tout ou en partie. Cet abandon est on ne peut plus normal dans les registres de la longue durée. C'est à peine perdue que le très vieux et la très vieille maudissent l'érosion de leurs facultés. Cela n'existe pas, un vieux qui mène un train d'enfer. L'humain a bel et bien une date de péremption. J'ai eu cet été soixante ans, ce qui n'est pas rien, mais ce qui est un peu court pour avoir ainsi le dos brisé. L'épine dorsale, imaginez !

Tel un camion qui n'a fait que rouler, que fendre le vent, tel un camion qui a passé sa vie à plonger dans l'espace avec toute l'énergie de son auto-mobilité, et que l'on retrouve immobile dans la cour d'un garage où il attend, impuissant, que les mécaniciens le réparent et lui remplacent une pièce essentielle, je me suis retrouvé moi aussi sur la touche, arrêté, bête et surpris en face de ma propre incapacité. Et rien ne suggère plus l'immobilité que le mobile paralysé. Comme le camion, comme lui, j'ai eu l'air bête et la fale basse. Machine piteuse qui ravale sa superbe, qui ramasse son orgueil en cachette, comme le goéland blessé qui fait mine de se reposer sur les galets mais qui en réalité plie et déplie son aile brisée en espérant qu'elle se replacera par magie. Et de ce goéland, j'avais tout l'air.

Je suis donc passé au garage, les spécialistes m'ont examiné. Heureusement, ce n'était pas le moteur. Car le cœur y est encore et même beaucoup. Rien de brisé dans les fluides, les huiles, la transmission, les pneumatiques ou l'essentiel du système. Tout était beau hormis la colonne. Mais quand même, cela supporte tout le reste. Nul ne se redresse sans dos, nul ne transporte ni ne déménage, nul ne court ni ne s'active sans colonne vertébrale. Nous sommes des vertébrés et j'avais une vertèbre en cavale.

Heureusement encore, cela se réparait. Honneur à la médecine moderne, honneur aux mécaniciens contemporains. Si la chose m'était arrivée au temps de mon grand-père Adélard, en 1915, j'eusse été bon pour la paralysie des jambes, j'eusse roulé en chaise le restant de ma route. Car jadis le médecin ne disposait pas des moyens actuels, imagerie, chirurgie, techniques et savoir-faire. L'orthopédiste m'a fait asseoir à ses côtés et nous avons examiné ensemble sur écran les résultats de la résonance magnétique. Le cabinet traditionnel s'est transformé en salle informatique. Le jeu des images est fantastique : voilà ma colonne vertébrale, pas une colonne anonyme ou abstraite, mais bien ma colonne à moi, cette bonne vieille épine qui m'a fidèlement suivi partout, celle qui porte en sa mémoire osseuse toutes les vibrations et tous les cahots de ma vie.

Une image vaut mille mots et puis ensuite les mots multiplient les images. Pas besoin d'avoir suivi un cours de médecine pour comprendre ce qui arrive, mais surtout pour voir : elle était là, la coupable, facilement repérable parce que désalignée dans l'axe de superposition des vertèbres. Ainsi déplacée, elle attaquait la moelle épinière et cela me tombait sur les nerfs au point d'en perdre pied. La moitié avant de mon pied droit était morte ; je ne rebondissais plus.

Donc je boitais, je claudiquais, je tirais de la patte, je battais de l'aile.

Mais cela n'était rien en soi. Car un boiteux peut aller loin et je n'ai pas cette coquetterie de la symétrie, de la légèreté ou de la facilité. J'ai toujours eu la démarche assez lourde. Je verrais même une sorte d'élégance dans ma gaucherie, car j'ai toujours porté mes cicatrices comme des marques d'honneur. Qui a vécu montrera fièrement les traces de ses voyagements. Le véritable problème, ce n'était pas la boiterie, c'était la souffrance. Les nerfs sont le siège même des coups aigus : mis à mal, ils te le font savoir d'une manière fort cruelle.

Je ne m'apercevais de rien, ni du déclin ni de la chute. J'espérais que le mal disparaîtrait comme il était venu. Mais c'est bel et bien la douleur qui a gagné la partie. Mes jambes se sont mises à brûler, constamment transpercées par des aiguillons. Ce mal s'installa à demeure, me réveillant la nuit, m'empêchant de faire mon travail. Finalement, j'ai réalisé bien tard que je tenais à peine debout. Passer du bureau au studio s'avérait une expédition de misère, passer deux heures au micro devenait une torture.

Le regard des autres a éveillé ma conscience encore plus. Mes collègues me regardaient tel un malade en crise. Leur compassion devenait si manifeste que je ne pouvais plus mentir, ni à eux ni à moi-même. J'avançais tel un blessé de guerre qui fait comme si aucune balle ne lui a traversé le corps, les autres me voyaient titubant, grimaçant, voulant encore faire la parade militaire alors qu'il était évident que j'appartenais déjà au monde de la civière.

C'est bien là le plus difficile : comment faire pour déposer les armes, comment s'abandonner et s'en remettre aux soins des autres ?

L'orthopédiste me dit : qu'allons-nous faire ? Qu'allons-nous faire ? Nous n'avons pas le choix, il faut vous opérer, vous replacer la vertèbre coupable, la visser à la saine colonne. Quatre vis ! et souhaiter que le canal des nerfs reprenne sa forme ovale au niveau où il est actuellement tordu et coincé. Ainsi, vous retrouverez le confort, la vigueur, la locomotion. Mais surtout, vous éviterez la paralysie complète de vos jambes, car c'est bien ce qui va vous arriver si nous ne faisons rien. Je ne crois pas que votre pied droit s'en remette, le mal est fait. Vous allez donc boiter, légèrement j'espère, pour le restant de vos jours. Cependant, vous n'aurez plus de problème de dos ou de douleur.

Bon, me voilà sur la civière de la vie, toujours vivant, bien vivant, mais immobilisé, arrêté dans mes libres courses, contraint de m'abandonner, ordre de faire une parenthèse. Finies l'arrogance, la défiance et les bravades. Il me fallait d'urgence rentrer au garage, à l'écurie, l'heure était à la réparation et à l'acte d'humilité.

Me voilà face à ma blonde, à ma fille, à mon fils, me voilà face à mes amis. Les autres, qui te voient et qui t'aiment, savent mieux que toi ce qui t'arrive. Ils s'inquiètent, ils sont surpris aussi de voir le vieux râleur rencontrer son mur de brique. Cela tombe sous le sens, après tout, on ne peut pas tout éviter, à la blague. Il est humain, notre homme, notre papa, notre ami. Il est humain et vulnérable. *La santé est un état précaire qui ne présage rien de bon,* c'est sa citation favorite, une phrase du vieux Jankélévitch.

Éreinté, échiné, cassé, c'est bien cela avoir le dos brisé, n'est-ce pas ? Mieux vaut avoir le dos brisé que des cellules en folie. À tout prendre, je chéris le mal que j'avais, celui-là qui m'a diverti des autres, jusqu'à nouvel ordre. Finalement, cela a été bon. Il n'était pas question de choix, il était plutôt question de destin. Parfois, l'histoire d'une vie tient à un mot du médecin. Et le docteur de dire : vous savez, vous avez de la chance, pour les mêmes symptômes vous auriez pu hériter d'un diagnostic différent, tumeurs cancéreuses à la colonne vertébrale (cancer du trognon, ai-je traduit dans ma tête). Nous aurions été pas mal plus démunis. La balle à l'épaule est toujours préférable à la balle au front.

Je revois dans ma tête les personnages de la série des *Remarquables oubliés* sur lesquels j'ai tant lu et travaillé depuis des mois. Voici le trappeur, voyageur et voleur de chevaux Jean-Baptiste Chalifoux, boiteux. Voici Francois-Xavier Aubry, convoyeur et grand cavalier, légende sur la piste de Santa Fe, boiteux. Voici encore David Thompson, grand marcheur, cartographe, arpenteur, boiteux. Étienne Brûlé et Georges Drouillard sont morts trop jeunes pour tirer de la patte. S'ils n'avaient pas été démembrés et mangés par des ennemis malcommodes, qui sait s'ils n'auraient pas boité, ces deux-là, comme tout le monde, à un moment donné. Jusqu'à Marie de l'Incarnation qui se cherchait des douleurs à offrir à Dieu. Lorsque je racontais votre histoire, derrière mon micro, chère Marie, je souffrais le martyre. Voyez comme les choses s'accordent.

Lorsqu'on refait la vie d'une personne dans le but de la raconter, il arrive toujours ce point apparemment mineur où le héros ressent les premiers effets d'un mal qui finalement l'emportera. Lui qui était si fort, qui a traversé d'immenses distances, qui a survécu aux pires épreuves, qui a mené les plus grands combats, lui qui a répété les exploits, l'infatigable, le résistant, celui qui a fait face à l'inconnu, à l'improbable, qui a eu froid, qui a eu peur, qui est parti tant de fois pour revenir fidèlement, voilà que l'increvable tousse ou rhumatise, voilà qu'il ralentit et se fragilise, voilà qu'il s'encabane, se recroqueville et réfléchit.

Le rappel est si simple. Nous n'avons pas tout le temps du monde et personne n'a jamais vu une vie s'éterniser. Chaque corps est une histoire qui est celle de sa finitude. Les os se souviennent, ils enregistrent les petits coups, les gros coups, les blessures, les usures. Les muscles finissent par s'atrophier, les réflexes s'amenuisent, la vue baisse, la tête et le cœur y sont de moins en moins. Le grand chauffeur de camion n'est plus capable de simplement monter dans sa cabine. Il ne sait plus danser avec sa machine. Tous les routiers, un jour ou l'autre, en viennent à remettre leur clé, à déposer le bilan de leurs courses.

Devant ce qui nous dépasse, il est inutile de faire son intelligent, comme si nous avions quelque part là-dedans. Que s'est-il passé ? Pourquoi ma vertèbre a-t-elle cédé ? Pourquoi ? Comment ? Il serait bien prétentieux d'en faire l'analyse. Ce qui s'est passé ? Les années, mon ami, les années, les kilomètres et les heures, les soucis et les dépenses, la répétition des performances, l'écoulement naturel de l'énergie vitale, la descente sur la courbe de l'élan de vie.

Alexis le Trotteur ne vivait qu'avec ses jambes. Un train lui est passé dessus qui les lui a coupées. Louis Cyr tirait sa force herculéenne de son cœur plus gros que la normale, et c'est ce cœur qui l'aura prématurément lâché. Comme quoi l'être est souvent victime de sa qualité. Sa fortune devient sa mauvaise fortune. Le loup n'est plus rien s'il a la mâchoire brisée. Sa forte mâchoire, c'est tout ce qu'il avait.

Contre ce mal qu'est la vie finie, la vie friable, l'humain dispose de sa conscience en jouant de la *sagesse* et de l'*espérance.* Que sont-ils, ces sources intangibles, ces intimes retours à l'essentiel, que sont-ils sinon notre dignité, notre pouvoir, notre force ? Face à la déchéance, nous devons nous tenir. Toutes les cultures depuis toujours ont habillé et enrobé le phénomène de la vieillesse, de la maladie et du déclin d'une foule de commentaires, de rituels et de manières. Les anciens Algonquiens, chasseurs nomades, pratiquaient l'abandon des vieux et des vieilles qui ne pouvaient plus marcher. Cruel, certes, mais sage. Depuis toujours, l'humain se penche sur sa propre brièveté.

Les modernes pérorent sur le progrès et ils s'entendent pour dire que les humains d'hier faisaient bien pitié d'ainsi mourir et d'ainsi vieillir en pagaille et en vitesse. Aujourd'hui, selon les rumeurs, la science a bien pris le contrôle, nous ne vieillirons plus comme d'ordinaire, la vie dure longuement, nous mourrons à cent vingt-cinq ans, nous serons encore jeunes et fringants à quatre-vingt-dix ans, et la médecine progresse si rapidement que rendus au temps de partir, une autre découverte fantastique nous conduira à cent soixante-quinze ans, et ainsi de suite, reportant indéfiniment la mort de l'être.

Ces faux espoirs sont pathétiques. L'arthrite d'hier est celle d'aujourd'hui. L'angoisse d'hier est celle d'aujourd'hui. La vie consciente n'est pas plus résolue qu'elle ne l'était hier. Le saut quantique entre le mortel et l'immortel n'a pas été franchi et le report au lendemain est une ruse enfantine qui n'arrange pas l'affaire. Bien sûr, il y a maintenant des vis, du ramonage d'artères, des techniques et des moyens renversants d'efficacité. Cela répare dans les ateliers, les spécialistes remplacent des pièces et ouvrent des moteurs, bref, on intervient avec dextérité. Mais sur le fond, les bris sont des rappels. Les réparations sont des sursis de remisage, elles permettent de vieillir, et de mieux vieillir, mais elles ne redonnent pas la jeunesse.

Comme chacun sait, la vie magane. Je pense à Walter Payton, l'athlète fabuleux, le coureur d'intelligence et de puissance des Bears de Chicago, le joueur de football par excellence, foudroyé en pleine course, non pas par un plaqueur adverse mais bien par un cancer. Je pense à Mohamed Ali, le bel homme incarné, machine parfaite, danseur, magicien de son corps, boxeur parfait, je pense à lui, branlant et frissonnant, prisonnier du Parkinson.

Imaginons les milliards de destins privés. Chacun dans sa cabane, qui égrène le temps, ce temps qui nous rattrape et dont nous savons bien qu'il viendra à manquer. Un petit sourire avec ça ? Le plus beau sourire du monde, celui ridé de l'humain, le sourire du vieux qui a fini de s'énerver, regard résolu, sachant que les jeux sont faits et qu'il a fait de *vieux os*. Pouvoir aller jusqu'au bout du *fini*. Avec des vis dans le dos, de la quincaillerie dans le corps, des tiges et des plaques de métal pour mieux nous faire tenir.

Novembre 2007

Un été animal

Samedi

Où est Humberside ?

Voilà que je tiens un héron, le Grand Héron bleu. Il m'échappait depuis des jours, mais aujourd'hui il s'est livré. Comme le diraient les vieux Innus des temps anciens, *il est venu dans ma tête.* C'est que, voyez-vous, j'écris un bestiaire, en fait, j'en écris un second. En 2006, à pareille date, je mettais la dernière main à un manuscrit insolite : *Confessions animales : bestiaire.* J'y donnais la parole à vingt-trois animaux sauvages, les faisant comparaître à une sorte de commission publique où chacun se présentait au lecteur pour afficher ses splendeurs, avouer ses travers, grogner, croasser, hurler ses misères. Le livre, bellement illustré, a eu assez de succès pour que l'éditeur me demande une suite. Je me suis levé tôt ce matin, disons vers six heures. Marie dort là-haut dans le grand lit, avec Lou, notre fille.

J'ai passé du temps à écrire le témoignage du huard, le plus beau des plongeons. Café et cigarettes, tranquillité profonde, je travaille sous les conifères qui entourent notre maison dans les bois. Dehors, les geais bleus lancent leurs cris méchants, les tourterelles tristes roucoulent leur mélancolie ; le jour se lève, les ratons et le grand polatouche, qui ont passé la nuit dans la mangeoire à se disputer les graines, vont se coucher. Nous sommes bien loin du monde, à Huberdeau, près de Mont-Tremblant, dans les Laurentides — si loin que le correcteur intégré à mon ordinateur suggère de changer « Huberdeau » pour « Humberside ». Ici, la grande forêt est reine, rien n'est campagnard, tout est sauvage. L'endroit est idéal pour entendre les voix animales et sentir l'haleine des mélèzes.

Vers onze heures, puisqu'il ne pleut pas, ce qui a été rare cet été, je monte sur mon tracteur, un vieux Massey des années 1950. Comme à chaque fin d'été, je coupe les foins dans les clairières du domaine. L'odeur du *fuel*, le bruit du moteur diesel qui claque régulièrement, les allers-retours dans les champs, tout m'emporte — il ne se fait pas assez d'études sur les liens entre le bonheur et les moteurs.

Et c'est là que le Grand Héron m'apparaît, c'est sur mon vieux tracteur qu'il est venu me visiter.

Dimanche

Bête de foire

Ce matin, le temps d'une cafetière, je transcris les dires du Grand Héron. Il fait beau en matinée, mais de gros orages menacent. En après-midi, je dois partir à Montréal pour animer ma série des *Remarquables oubliés* sur les ondes de Radio-Canada. Gros été sur ce front : cinquante-huit heures en ondes, vingt-six soirées en studio. Mais j'aime passionnément ce métier, parler, raconter, refaire le chemin de l'Amérique française, métisse, amérindienne, à travers la vie de personnages aussi bouleversants que méconnus.

Me voilà donc sur la route, un trajet familier, deux heures à réfléchir, à méditer. J'ai des ours blancs dans la tête, des outardes et des urubus à tête rouge. Le bestiaire m'habite et la voiture est comme le tracteur. Tout ce qui roule me fait penser. Aux animaux sauvages s'ajoute la vie d'Étienne Provost, ce grand homme des montagnes, celui qui vint au monde à Chambly près de Montréal et qui fut le premier homme blanc à voir le Grand Lac Salé, au XIXe siècle. Plus personne ne se souvient de lui, saurai-je lui faire honneur ? Je repasse aussi la vie de Nancy Colombia, cette Esquimaude née à Chicago d'une mère qui, à l'instar d'une vingtaine de familles inuites du Labrador, fut amenée au Sud contre prime, au début du XXe siècle, pour se donner en spectacle aux Américains et aux Européens ; objet de curiosité, bête de foire.

À mi-chemin, l'autoroute se bouchonne, les orages éclatent, c'est le déluge. Changements climatiques, dit la radio. Quel est l'état de la circulation au centre-ville, les Russes ont-ils quitté la Géorgie, le Canada est-il satisfait des performances de ses athlètes à Pékin ? Tout cela en quelques minutes. Finalement, j'arrive, je passe de ma voiture au studio. L'émission terminée, je découds ma route, retour à Huberdeau sous les étoiles, le ciel s'est dégagé, la lune est pleine, l'autoroute est maintenant tranquille, deux bonnes heures à penser.

Lundi

Triste journée

Je dois aller à La Tuque. La journée sera costaude, mille kilomètres aller-retour. On me demande là-bas de raconter l'histoire des pensionnats indiens devant une assemblée de gens intéressés à créer un mémorial sur ce sujet. Personne ne va jamais à La Tuque, personne ne s'arrête à La Tuque. C'est le village natal de Félix Leclerc. Mais les souvenirs du poète se trouvent à l'île d'Orléans. Je quitte Huberdeau aux aurores, distance oblige. La route 155 est réputée difficile, elle longe de près la rivière Saint-Maurice, sinueuse comme son courant, encombrée de camions lourds qui charrient des arbres. C'est que nous sommes en terre sauvage, la petite ville n'a pas un hôtel digne de ce nom, communauté forestière et isolée, au pays des Attikameks. Je connais bien le trajet, je l'ai fait et refait, en hiver souvent, dans la poudrerie. Mais ce matin, c'est la pluie diluvienne, le ciel est noir, la conduite n'est pas commode.

Dans une salle sans style, néons, café tiède dans un verre de *styrofoam,* je raconte l'histoire de la politique canadienne d'assimilation qui, pendant des décennies, a permis qu'on arrache aux familles indiennes leurs enfants pour les exiler dans des pensionnats, afin qu'ils oublient leur langue, leur identité, leur passé. Programme tragique et désastreux qui a brisé la vie de milliers de personnes, pratique absurde dont vient de s'excuser officiellement le gouvernement fédéral. Ici, à La Tuque, il y a eu un gros pensionnat entre 1963 et 1980 ; jusqu'à cinq cents jeunes Cris y résidaient à l'année, bien loin de leur Radissonie natale — il fallait mettre de la distance pour éviter les fugues. Après 1980, le bâtiment principal a été abandonné, il est devenu une ruine, l'année dernière on procédait à sa démolition. Comme si on avait voulu en effacer toute trace. Ne reste que la chapelle, misérable. C'est elle que les gens veulent sauver, question de ne pas oublier.

Ma présentation terminée, je reprends la route vers Huberdeau. Les orages me poursuivent comme une punition du bon Dieu. Je roule pendant six heures sous le déluge, enfin me voilà sous mes mélèzes, de retour à la maison. Et ma blonde de me demander : comment fut la journée ? Triste, Marie, triste.

Mardi

Fourrure grise

Dehors la nature est mouillée et la terre, gorgée d'eau. Au petit matin, je rédige la version finale du Wapiti et corrige le témoignage de la Souris. Alors que je travaille sur le sujet, Lou attrape justement deux souris forestières qui se sont aventurées sur la terrasse, attirées par les graines des oiseaux. Du coup, voilà Marie en train d'improviser un habitat pour les petites aventurières, nous pouvons les observer à loisir, elles sont franchement irrésistibles. Ce n'est pas long qu'elles ont des noms, Pirouette et Cacahuète.

À neuf heures pile, une équipe télé de Winnipeg débarque chez moi. Documentaire sur Louis Riel et la révolte des Métis de l'Ouest canadien en 1870 et en 1885. La terrasse se transforme en plateau de tournage. Le groupe s'intéresse brièvement aux deux souris, Lou s'intéresse au microphone enrobé d'une fourrure grise, mystérieuse, finalement on tourne. Je raconte l'histoire à la caméra, l'affaire est menée rondement, l'équipe repart à deux heures de l'après-midi. La maison retrouve son calme. Nous libérons les souris dans les bois, en grande cérémonie. Pirouette et Cacahuète disparaissent dans la mousse, retrouvent leur destin : si vulnérables dans un monde si vaste.

Mercredi

Cet arbre n'a jamais pris l'avion

Les arbres sont plus émouvants que jamais. Cette grosse épinette tutélaire, dont la tête pointue dépasse toutes les autres, cet arbre maître plus que centenaire, avec lequel j'échange depuis trente-cinq ans, n'est jamais allé à Montréal ; il regarde le ciel et les alentours fixement, il n'a jamais pris l'avion, jamais écrit de livre ni donné d'entrevue. Pourtant, il confère juste à être. La terre fait pour lui le voyage, cet arbre est une bibliothèque en forme de pilier et, me murmurait-il récemment, il connaît les palmiers, lui le nordique, il penche un peu vers la lumière. Formule secrète de la nostalgie, écho du grand Jankélévitch, les grands arbres savent qu'il est inutile de partir pour s'en aller ailleurs.

Jeudi

Génération Wii

Branle-bas de combat, toute la famille s'en va à Montréal pour deux jours. Nous roulons sur la petite route qui mène à Mont-Tremblant où passe l'autoroute des Laurentides. Les feuillus, déjà, changent de couleur et annoncent les feux de l'automne. À dix heures, nous sommes dans la cohue du centre-ville ; je dépose Marie à son bureau, Lou et moi entrons dans un studio où j'enregistre les voix des animaux sauvages pour un CD qui accompagnera le *Bestiaire II.* Tandis que je m'immisce dans la peau de l'ours, dans celle du lynx, du wapiti, à quelques pas, dans un salon attenant, Lou est aux oiseaux : on l'a branchée, littéralement, à une console Wii, grand écran et baseball virtuel. Essayez maintenant de faire jouer les enfants dehors, dans un vrai champ, au vrai baseball !

Vendredi

Tracteur bonheur

Nous voici à Radio-Canada où je dois animer une émission de radio, ma dernière de l'été. Sur la façade de l'édifice, dans les pierres des murs, il y a des fossiles, des coquillages et des algues anciennes. Lou et moi allons de pierre en pierre, émus par chaque trouvaille. Des moineaux domestiques s'attroupent dans le parking. Lou me demande si on peut acheter des graines à l'intérieur pour les nourrir. Elle veut aussi acheter des bonbons, c'est important. Dix minutes plus tard, je suis en ondes. Dans la régie, Lou mange ses bonbons, elle dessine des dinosaures, elle entend le bruit de fond qu'est la voix grave de son père.

Fin de soirée. La famille réunie, nous retournons à notre maison sous les mélèzes, à « Humberside ». Lou dort sur la banquette arrière. Marie aussi s'est endormie, bercée par le mouvement de la voiture qui danse ses 150 kilomètres sans à-coups. Nous arrivons à minuit. Dans la lumière des phares qui mordent dans la noirceur la plus noire, j'aperçois le nez de mon vieux tracteur et je me dis *bonheur.* Demain sera une journée diesel, nous couperons les foins et les fardoches, je capterai la voix d'un autre animal sauvage, une corneille incomprise peut-être, ou un coyote fatigué.

Septembre 2008

La route du Lèche-chevreuil

Cet hiver, je ne suis pas allé dans le Sud. J'ai plutôt traversé le Nord de bord en bord, et j'ai passé la saison froide au froid, à rouler sur de l'asphalte craquelé, bosselé, saupoudré de calcium. Je cahote sur des pavés brisés comme de la glace océane, des vagues qui auraient dansé sous la pression des vents et des courants et qui se seraient figées en brisures et fissures, des plaques marines entrechoquées, saisies soudainement, nous donnant à la fin un chemin tout défait par le froid et le gel. Roulement douloureux, bruyant, qui rend compte de la cruauté de la saison ; oui, le pavé parcheminé nous fait la vie dure, à nous les routiers. Nous ne savons plus si nous sautillons dans le salé ou dans le sucré. La gratte déneige le chemin et la saleuse le sale, c'est bien connu. Autrement, nous serions bien en peine de traverser cette carte postale, comme si le paysage n'était qu'un immense glaçage blanc sur un gâteau au chocolat. Car c'est bien cela, la neige dans les épinettes, du sucre en poudre sur un conifère, d'où l'expression « poudrerie ». Cette nuit, je n'ai pas eu à éviter les chevreuils qui viennent sur la route pour lécher le sel. Il faisait trop froid, peut-être. Moi, je l'appellerais bien *la route du Lèche-chevreuil,* mais qui suis-je pour me mêler de toponymie ?

Il fallait bien que je quitte ma confortable cabane pour aller à Montréal, quarante-cinq minutes d'une petite route enneigée et pleine de « croches », dans les montagnes. Ce sont les anciennes pistes des chevaux, des calèches et des charrettes, un tracé sans compromis aucun ; il faut encore aujourd'hui épouser les courbes de ces plis cambriens. Cela tourne et puis descend, à travers monts et chevreuils, puisque nous traversons trois ou quatre ravages. Après ce trajet dans les collines très anciennes, il y a encore une heure à faire, une heure d'autoroute achalandée, dans le crachin et la saleté, les bouchons et les files de gros camions, avant d'aboutir dans la laideur classique de la Métropolitaine, une Merveille du monde, une merveille usée. À cause des moyens dont nous disposons pour faire des merveilles, de nos jours, les Merveilles du monde sont plus courantes que jadis. Que ma voiture est sale, que ma voiture est sale !

Les rues trouées de Montréal sont encombrées de monticules glacés qui découpent de façon irrégulière les côtés des trottoirs, les voitures stationnées s'accumulent en pagaille, paralysées dans les bancs de neige. Les gens marchent au pas de la résignation, avec le dos courbé de la tortue frissonnante. La ville est anarchique, la glace est mauvaise sous nos pieds, trouée elle aussi, transpercée par des grains de sel qui ont fini par ne plus faire effet, sablée de façon irrégulière, parfois glissante, parfois pas ; il faut contourner les obstacles, des formes cachées sous la vieille neige granuleuse et séchée, une borne-fontaine, un arbre rachitique blessé, l'écorce arrachée par des chenillettes en folie ! Rien n'est d'équerre. Je stationne sans problème dans le grand stationnement de la tour de Radio-Canada, près de la porte de côté, dans les places réservées aux boiteux et aux patrons (je suis boiteux, pas patron). Ma voiture noire est blanche comme du lait. Et Dieu que le monde est à l'avenant, gris laid. La ville est comme l'intérieur abandonné d'un vieux congélateur.

En soirée, je reviens dans les bois, laissant derrière moi les lumières fatiguées de la ville. Il fait si février et si onze heures le soir que ces lumières éclairent le vide pour rien, personne n'est dehors pour apprécier cette dépense d'énergie. Il faut deviner la route tant tout est sale, embrouillé, flou. Les lignes blanches sur l'asphalte noir sont effacées depuis longtemps, et ce n'est pas demain qu'on va les refaire. Le Ministère est condamnable, me dis-je ! Mais à force de ne penser à rien, d'écouter la radio des sportifs, j'arrive dans le fond de ma petite vallée, au bout du chemin de glace, ma maison apparaît, illuminée, seule dans le noir, une bonne nouvelle à la fin de la journée. Demain, je pourrai reprendre le fil des jours, remonter dans le temps et m'enfoncer plus encore dans ma douce folie. Le routier est une créature d'habitudes, tout se répète, jusqu'à l'idée fixe.

Petites journées de petite lumière, longue noirceur qui commence à seize heures, ma maison dans le bois s'illumine comme à la chandelle, éclairage feutré, abat-jour rouge, orange, couleurs du feu, reflets de braise. Le garage est chauffé et la voiture dégèle, blanche de sel. Il fallait que j'écrive, que je lise, que je me fasse une tête. Puis rentrer du bois, mettre des bûches dans le foyer, avant de réfléchir encore et de mettre ensemble les morceaux du puzzle : comment cela est-il possible ? Charles Langlade de la Baie Verte connaissait François Gaultier, celui-là même qui était allé au Wyoming pour voir les montagnes Luisantes et qui allait périr lors du naufrage de l'*Auguste,* en novembre 1761, au large de l'île du Cap-Breton ! Vraiment, on en découvre des choses dans l'histoire du Wisconsin, de la Butte des Morts, de la Prairie du Chien, et de Trempealeau ! Oui, le mont Trempealeau de Nicolas Perrot ! J'ai le sentiment de faire naufrage moi aussi dans une dimension qui échappe à l'attention courante. Mes sujets sont tellement oubliés ! Je ferais bien un jour une petite liste des patronymes métis du grand Nord-Ouest : La Fantaisie, La Fournaise, Lacorde, La Déroute et La Débauche. Tout un programme, mon beau Bouchard dit Jolicœur !

Le lendemain, il a fallu repartir, seulement pour aller au village. Je devais acheter du lait, des pains pour me faire un hamburger, peut-être deux, puis passer à la poste pour prendre mon courrier. La route sera très courte, quelques kilomètres, dix tout au plus, aller et retour. Mais il est des kilomètres plus longs que d'autres. Ce matin, la route est glacée noire, et le ciel bien bas. Sur le toit de son camion, un voisin transporte le cadavre d'un coyote gelé, il est figé si dur que l'on croirait une sculpture de bronze qui ne se dépliera jamais. Il s'en va Dieu sait où, le porter, le montrer. Mais où donc va cet homme, avec un coyote sur le toit de son *pick-up* ?

Les déneigeurs déneigent, ils poussent la neige, ils la soufflent, ils en parlent, ils l'attendent, ce sont des vigies qui ne veulent pas se faire surprendre par les tempêtes. Il a fait froid, parfois. Tous les matins, avant de faire mon café, je regarde le thermomètre qui me donne la température extérieure. Une fois, cet hiver, il marquait – 37 °C. Il est bon alors de prendre sa douche bien chaude, de boire son café encore plus chaud en regardant dehors les petites mésanges, les sittelles et les sizerins flammés. Ils sont gros comme des serins et ils survivent à – 37 °C, sans boire de café, sans Association de défense pour les petits oiseaux sans chaleur.

La radio joue, les voix défilent, les unes après les autres, qui parlent de théâtre, de météo, de circulation, de sport. Des skieurs allemands descendent des pentes aux noms imprononçables, montent sur des podiums et gagnent des médailles, toutes choses fort importantes dont nous informe le journaliste à 6 h 45 du matin. La nouvelle ne m'intéresse pas vraiment, tout comme le concours excité qui me propose de gagner un voyage à Paris ! Gagner, encore gagner, comme s'il fallait toujours gagner. Dans ma tête, je suis toujours au lac des Christineaux, aussi dit Lac à la Pluie, avant de s'appeler Rainy Lake. Pire que tout, je suis au lac des Assiniboines, le fameux lac des Îles des Cris de Monsonie. Dans le courrier, justement, un ami anthropologue m'a envoyé un petit colis : c'est un vieux livre du XIXe siècle qui parle de l'Ouest des Canadiens français et des Métis athapascans de l'Athabaska.

Je grogne, je grommelle, comme celui qui s'apprête à écrire un gros livre intitulé *La Liste complète de tout ce que je hais.* Un jour je l'écrirai, ce livre, comme j'ai d'ailleurs l'impression de l'écrire un peu tous les jours. Je hais la face cachée de mon ordinateur. Je connais bien ses dimensions bénéfiques, son côté dactylographique, sa mémoire qui traite le texte, qui est le paradis de l'écrivain qui fait, refait, défait, efface, coupe, refait une autre fois, ampute, ajoute, déplace, ajuste, révise, revisite, reprend, se bat jusqu'à la folie pour le juste mot. Je *hais* les gens qui ne savent pas savourer une phrase écrite comme on savoure une belle composition musicale. Mais il y a tant de gens aujourd'hui qui ne savent pas faire la différence entre un bon et un mauvais hamburger.

Je hais l'intelligence artificielle de mon ordinateur, lorsqu'il prétend bêtement m'en imposer, alors qu'il fait lui-même des liens stupides. Je l'adore quand je le fais plier, et que je l'oblige à faire ce que je veux. Mon ordinateur s'ennuie, il est au bagne de l'ancienne écriture, il se demande pourquoi mes courriels ont 10 000 caractères, pourquoi il doit enregistrer des textes originaux alors qu'il pourrait enregistrer des tounes et des jeux. Pourquoi je n'ai pas d'amis sur Facebook, pourquoi je suis sans twitt, pourquoi je ne fais pas confiance à Wikipédia, pourquoi je ne trouve rien sur Youtube, pourquoi je n'utilise jamais les milliards d'applications qui le rendraient si heureux d'être finalement performant ? Mon ordinateur, c'est une Formule 1 que j'utilise pour labourer un champ. Un site n'a plus rien de géographique : c'est un lieu que l'on retrouve sur un site…

Je suis seul dans l'hiver, seul avec mon ordinateur dont j'ignore la nature. Beaucoup de gens autour de moi sont partis en silence, un soir, une nuit, ils ont pris l'avion pour une destination soleil. Ma blonde s'en est allée à Mérida, au Mexique, avec notre fille Lou. Avec elles, la sœur de Marie, mon beau-frère et leur fille. Et nous sommes convenus de *communiquer* via les nouveaux médias. Ma fille a un iPod, mon beau-frère un ordinateur portable, plus un iPad. Nous allons utiliser Skype. Je ne savais pas que mon écran avait un œil, non, je ne savais pas cela. Si je l'avais su, je me serais encore plus méfié. Je connais très bien Skype, j'ai vu des gens se parler à distance avec cette image des autres qui apparaît à l'écran. La famille parle à la famille, nous dans les Laurentides, eux en Australie, ici la nuit, là-bas le jour, ici l'hiver, là-bas l'été. Je connais donc Skype pour avoir vu les autres l'utiliser, pour avoir entendu mon beau-frère m'expliquer qu'il tient de nombreuses réunions professionnelles en ayant recours à Skype. Plus besoin de se déplacer, l'œil de Caïn est là qui te regarde, alors autant le regarder en retour. Mais là, je suis seul en hiver, ma blonde est dans le Sud, pas question d'avoir le regard éloigné et dédaigneux de celui qui surveille le Skype des autres. Pour parler aux miens, il faut que je fasse un homme normal de moi, que je m'implique directement, de façon autonome, et que je sois à mes affaires comme les gens sont à leurs écrans, petits, moyens, gros, avec des claviers qu'ils réussissent à utiliser malgré les nanotouches que je ne parviendrais jamais à toucher avec mes gros pouces, voire avec n'importe lequel de mes doigts gourds.

Je téléphone (est-ce le terme ?) une première fois, le premier soir, pour m'assurer qu'elles se sont bien rendues à destination. *L'utilisateur n'est pas connecté.* Quand et comment l'utilisateur se connectera, Dieu seul le sait. Pour le moment, la fenêtre Skype de mon ordinateur affiche une liste de noms, plusieurs sont connectés, mais pas ma blonde. Il me vient le vieux réflexe préhistorique de prendre le téléphone normal et de composer le numéro de la maison où elle doit se trouver, dans le centre-ville de Mérida, afin de lui demander de *se connecter.* Une voix me dit la formule familière de l'ère du téléphone, *il n'y a pas de service au numéro que vous avez composé !* En dernier recours, j'envoie un courriel à l'adresse de ma blonde, lui demandant de communiquer avec moi via l'ordinateur de mon beau-frère. Elle prendra ses courriels à distance et elle verra vite que je ne suis pas rassuré.

La soirée se passe, sans réponse. La nuit aussi, et je commence à m'inquiéter. Elle m'avait dit que nous allions nous parler dès son arrivée à bon port. Toute la journée du lendemain, j'essaie d'entrer en contact avec le Skype loin là-bas, *l'utilisateur n'est toujours pas connecté.* Et je me bute au téléphone ancien qui, lui aussi, ne répond pas. Finalement, en soirée, vingt-quatre heures d'inquiétude plus tard, mon Skype fait un bruit bizarre, comme une sonnerie qui n'en est pas une. Je clique sur l'icône qui m'intime de répondre. Bang ! Ma blonde est à l'écran, plein visage, et un petit voyant s'allume en haut du cadre, à la hauteur de mon front. Elle me voit, je la vois, elle m'entend, je l'entends, tout va bien. *Nous sommes connectés !*

L'image n'est vraiment pas belle, le son est saccadé, tout est assez bizarre. « Pour faire fonctionner le cellulaire de notre hôte, il faut acheter une carte, et nous ne l'avons pas achetée puisque nous savions que nous allions skyper. » Voilà ce qui explique pourquoi je suis incapable de les joindre par téléphone. Il me faut comprendre que téléphoner à quelqu'un est une chose qui ne se fait plus. Et puis, il y a eu une panne informatique dans le quartier, voilà pourquoi ! Et puis, il ne faut jamais éloigner l'ordinateur du WiFi pour que Skype fonctionne. Voilà pourquoi. Par contre, il faut savoir que Skype fonctionne sur le iPod de ma fille Lou, et sur le iPad de mon beau-frère, alors, pas de problème. Je suis rassuré. Ce même beau-frère qui n'a peur de rien me fait visiter la maison, en mode Skype. On ne voit rien, pas vraiment, mais c'est impressionnant quand même, impressionnant surtout de voir la joie de mon beau-frère. Et puis l'irréparable : *la communication a été interrompue !* Pourquoi avoir gaspillé tout ce temps Skype à me faire visiter des lieux dans lesquels je n'irai jamais ? L'art de la conversation s'est bien perdu au téléphone, je ne crois pas qu'il s'améliore sur Skype. Mais j'avais vu la rue à Mérida, déjà, sur Google Earth, qui voit toutes les maisons de la terre !

Commence alors un petit cauchemar qui va durer deux semaines. *L'utilisateur n'est pas connecté.* L'histoire sera de plus en plus banale. On se rejoint, on ne se rejoint pas, dans tous les cas de figure. Se voir sans s'entendre, s'entendre pour discuter de pourquoi on ne se voit pas, se voir en sachant que l'on est vu mais pas l'autre, le son qui coupe, et ainsi de suite, sans pouvoir se téléphoner parce que nous n'avons toujours pas acheté une carte puisque nous allons communiquer par Skype. La liste interminable des gens que je ne veux pas joindre indique que leur Skype est *connecté* et que je pourrais joindre le monde entier sans problème, mais pas ma blonde ! Tous les Skypes sont en ligne, mais pas celui que je voudrais. À l'autre bout, Lou et ma Marie m'envoient des messages écrits, sur Skype, ce qui me déroute totalement, pour me dire que *je ne suis jamais connecté* ! Et moi, je ne sais pas comment « texter » à partir de mon ordinateur pour rejoindre le iPod de Lou, ou le iPad de mon beau-frère via la partie texto de Skype. Et je regarde mon téléphone cellulaire qui ne sert à rien, qui est obsolète de toute façon, mon téléphone cellulaire que j'utilise comme un téléphone qui peut recevoir des textos que je suis incapable de lire.

J'arrête ici ma complainte. Il est clair que je suis le coupable. L'image de Skype me trouble, elle est trouble, elle est au désavantage des visages, et si la conversation téléphonique est dure et cruelle lorsqu'on parle à quelqu'un au loin, le Skype est mille fois pire. Il est spectral et ensorcelé, comme si nous parlions aux morts et aux esprits. Je me redis que c'est un grand plaisir de communiquer à distance pour se rassurer, de quelque façon que ce soit. Mais déjà, le téléphone avait ses revers : si tu me téléphones, c'est que tu n'es pas là. Les mauvaises nouvelles viennent souvent par téléphone. Sans parler de ce téléphone qui ne sonne jamais, ou de celui auquel nul ne répond. La sonnerie téléphonique fait partie des plus grands scénarios tragiques. Imaginez le potentiel de Skype ! Franchement, ce Skype me fait un bien mauvais effet : oui, il est spectral et sépulcral. Rien de pire qu'une mauvaise image, qu'une sensation d'être qui est celle du non-être, une image triste du néant. Il faut quand même que l'utilisateur y mette un peu du sien. Je suis un mauvais *utilisateur* !

Il y a plus, il y a pire. En l'absence de ma fille de dix ans et de ma femme, qui sont sur Skype, à Mérida, au Mexique, moi je suis le gardien des lapins, dans la forêt d'Huberdeau, dans les Laurentides. Oui, nous avons deux lapins à la maison, un mâle et une femelle. Pendant quinze jours, je dois m'assurer qu'ils ont de l'eau et de la nourriture, je dois nettoyer le clapier et me soucier de leur survie. Car s'il fallait que les lapins meurent… Un soir de tempête, alors que je veux aller me coucher, sachant que je voyage le lendemain, sachant aussi qu'il est inutile d'attendre un message de Skype, dont *les utilisateurs sont toujours déconnectés,* voilà qu'arrive cette chose dramatique : les deux lapins se sont échappés du clapier, ils courent partout dans la maison. Je dois les retrouver. Le mâle est facile à attraper puisqu'il se laisse approcher. Mais la femelle est intraitable. Me voilà en chasse dans ma propre maison, moi en caleçon, la lapine en fuite, rappelons-nous que je suis boiteux, ce qui rend la scène proprement comique ; j'en ris autant que j'en rage.

Au terme d'une poursuite indescriptible, cent fois battu par l'intelligence fugitive de la lapine traquée, une fois bien humilié et très essoufflé, me répétant que ma réputation est sauve car ma misère est sans témoins, je réussis finalement à l'attraper, la lapine cruelle ! Et voilà les rongeurs au clapier. Ce n'est pas demain que vous en ressortirez ! Je vais à mon tour me mettre au lit lorsque, soudain, la sonnerie de Skype se fait entendre. Pour une rare fois, ma blonde et ma fille réussissent à me joindre. Tu es là, je suis là, nous sommes là, alors comment ça va ? Ma fille Lou me confie qu'elle s'ennuie et elle me demande quoi ? « Je veux voir mes lapins, peux-tu me les montrer sur Skype ? »

Le lendemain, je sors la voiture du garage. Il neige encore, beaucoup. Dans la poudreuse, je roule ma route du *Lèche-chevreuil,* direction le stationnement des boiteux à Radio-Canada. Ce n'est pas long que ma voiture s'enneige, le derrière tout blanc, comme un wapiti, mais j'adore rouler sur la neige fraîchement tombée, je fais des traces de pneus sur la surface immaculée, et je médite mes journées. J'aime l'hiver démesurément.

Le palmier se souvient qu'il a été une épinette, autrefois, et l'épinette pense au temps des palmiers. Il est des distances que nous ne pouvons plus combler. Ce sont celles de la nostalgie.

Je hais les voyages dans le Sud, surtout ceux qui impliquent une relation Skype. Je hais la condition touristique, les avions, les départs, les arrivées, le teint bronzé. Je ne veux pas gagner un voyage à Paris, je ne m'intéresse pas aux performances des skieurs allemands.

Et je dis en pensée à ma blonde : « Reviens à la maison, Marie, reviens t'occuper des lapins ! »

Mai 2011

De la grosse peine

La mort est un chat

Tout meurt, les morts aussi. La mort est le lieu commun par excellence. Je la vois telle une fosse commune qui reçoit indifféremment les uns comme s'ils étaient les autres, une fosse insensible qui se joue des distinctions et qui nous réunit tous dans une sorte de renversante banalité. La mort est folle et il me semble évident qu'elle ne sait pas vivre. Elle fauche dans le tas, elle est aussi aveugle que l'amour. Elle est animale, pour ne pas dire cruellement naturelle. César mort est un mort commun. Le poignard qui le tue ne sait pas qui il tue. L'empereur rejoint son soldat dans la simple posture de l'homme terminé.

Si le non-dit a un sens, les morts en disent beaucoup par l'épaisseur de leur silence. L'agenda des morts est infiniment simple. Ils entrent tous en réunion sans échéance aucune. La fin des échéances est une fin de dette, un acquittement, une quittance, une libération. Car la mort est vivante, c'est cela son secret. La seule mort que nous connaissions, c'est bien celle de la vie.

Quand la mort se rapproche de nous, c'est comme une porte qui s'ouvre. Impossible de décrire le courant d'air. La mort nous silence en effet, elle fait le calme inquiétant. La mort ne se cache pas, mais elle conserve son secret. Nous la voyons depuis toujours mais nous n'en n'avons jamais rien su. La mort est tellement ordinaire.

* * *

J'ai su plusieurs années avant toi que tu ne pouvais pas échapper à ton destin. La mort était là, un chat tenant la souris, mais un chat souverain, sans inquiétude, ne craignant pas d'être inquiété, regardant ailleurs, griffant une fois, mordillant une autre, faisant comme si la chose ne l'intéressait plus. La mort s'est amusée de toi, pendant des années. Elle n'avait pas à se presser, elle te tenait.

Je me souviens des premiers mots de la sentence : cancer, infiltrant, croissance rapide, sein, carcinome, chances de survie et tout ce qui change tout. Le premier soir, chez nous à la noirceur, tu as pleuré dans mes bras. Tu m'as dit : cancer, ce n'est pas rien. Tu avais trente-quatre ans. Nous étions en janvier et jamais un janvier ne m'a paru si froid.

Malgré la présence familière de la mort, nous allions vivre des années sans la désigner, sans la montrer du doigt. Crier à la mort, cela ne se fait pas.

Tout commença par une tumeur, grosse comme une balle de golf, disions-nous. C'était une balle de fusil. Je me rappelle ton premier cri, lors de ta première biopsie. Je me rappelle cette première année de mort proche. Nous vivions avec la peur. Mais le traitement rassure, les histoires entretiennent l'espoir. Et la vie est tout entière à la vie. Il y a toujours des survivants, des miraculés, rien n'est fini tant que la partie n'est pas terminée. Tu as joué le jeu. Patiente modèle, ton caractère ne changeait pas. Tu riais, tu parlais, tu vivais. Je me souviens de ta mauvaise humeur parce que le point marquant la cible de radiothérapie était indélébile sur ta peau. Tu pensais à ta peau. Tu pensais aux marques et aux cicatrices que le chat te faisait, en regardant ailleurs. Une première chirurgie t'enleva une partie de ton sein. Et tu aimais tes seins. Tu n'aimais pas tes jambes, ton nez, ton corps, mais tu aimais tes seins. On aurait dit que le chat le savait.

Une autre tumeur toucha l'autre sein, l'année suivante. Le chat te tenait bel et bien. Tu avais encore plus peur. Nous savions que la mort se faisait insistante. Mais nous nous sommes jetés avec plus de détermination dans le quotidien de la résistance. Nous commencions à nous familiariser avec l'hôpital, la clinique, les médecins, les infirmières, les autres cancéreuses. Il y avait des choses à faire, des rendez-vous, des trajets, des projets. Nous étions occupés. Tu aimais les occupations.

Tu t'es rapprochée de Marie, plus jeune que toi, mais plus avancée sur le chemin de son cancer. Vous étiez des amies de mauvaise fortune. Elle t'encourageait. Vous alliez manger ensemble, elle te faisait rire. Son optimisme confinait à l'innocence. Tu l'aimais beaucoup, autant que tu aimais la vie, le fleuve, la mer, les voyages, la neige, le monde, et je ne finirais jamais la liste de tes émerveillements. Tu aimais chaque journée du temps qui passait. Je me souviens de cette seconde chirurgie, de tes pleurs, de ta peur, de ton refus de cette nouvelle marque sur ta peau. Une autre coupure, un autre mal. Mais il y avait encore la chimiothérapie, la routine du traitement, l'espérance à nourrir. Nous allions chaque mois à la clinique, une semaine durant, pendant dix-huit mois. Ce fut long. Chaque fois, tu en ressortais malade, nauséeuse, blême et faible. Mais tu travaillais quand même, quittant la clinique pour aller à ton bureau, maquillée, masquée.

Ces visites régulières à l'hôpital nous rapprochaient. Elles étaient inscrites à mon agenda. J'ai souvenir de ces jours sombres d'hiver où le stationnement près de la clinique était impossible et où nous nous amusions de mes manières de toujours réussir à trouver une place. Il fallait bien que je serve à quelque chose. Nous avions nos habitudes, nos façons de rire quand même, nos façons de faire et d'être simplement ensemble. Nous étions solidaires parce que cela nous rassurait tous les deux. Mettre de la vie, beaucoup de vie, dans le petit rien et dans le vide pouvait peut-être impressionner la mort.

Tu n'aimais pas ton médecin principal mais tu appréciais beaucoup l'oncologue de l'hôpital. Moi aussi. C'est durant cette deuxième année, pendant un de tes traitements, qu'il me fit venir dans son bureau. Là, il me dit que ton cas était difficile et qu'il était probable que tu n'en réchappes pas. J'étais assommé. Nous sommes convenus de ne pas te le dire parce qu'il ne savait pas comment la maladie allait évoluer. Tout ce qu'il savait, c'est que tu allais mourir et que la médecine ne pouvait que retarder l'échéance. Nous savions, mais nous ne savions ni quand ni comment. J'ai gardé ce secret pour moi. Avec le médecin, j'étais seul à savoir. Et je n'en ai jamais parlé.

Deux années ont passé. Nous avons appris le sens du mot *rémission.* Tu espérais passer le cap de cinq années sans histoire dans l'attente de te faire dire que tu étais guérie. Comme s'il fallait que tu te fasses toute petite, tranquille, discrète, pour ne pas attirer l'attention du chat. À la longue, il t'oublierait peut-être. Mais rien n'y fit. Une troisième tumeur apparut, tu venais d'avoir trente-huit ans. On procéda alors à l'ablation complète de tes seins. Je me souviens de ton regard, quand tu t'es réveillée après l'opération. L'irréparable s'était produit. Tu pensais plus à ton corps qu'à ta vie. Ta poitrine sanglée par un pansement en disait assez sur le vide qu'il cachait. J'ai essayé de te convaincre mais ai-je été assez convaincant ? J'avais peur et je savais que tu avais raison. À quoi servaient ces souffrances et ces plaies, ces chirurgies et ces amputations ? Je savais que tu ne pouvais vivre heureuse sans tes seins. Et nous ne savions pas si ces sacrifices allaient servir à quelque chose.

Cinq années ont passé. Tu oubliais presque ton cancer mais tu n'oubliais pas ton corps. Selon tes propres et simples mots, tu n'étais plus une femme. Je ne pouvais t'approcher, te toucher, te regarder. Tu souffrais trop. Mais la vie continuait. À quarante-trois ans, tu as pris une grande décision. Tu voulais retrouver tes seins. Le docteur, devenu ton ami, te le déconseillait. Moi aussi. Nous avions peur que cette opération ne réveille le chat endormi. Mais tu entendais des histoires, tu lisais des articles, tu t'informais de tout ce qui regarde la chirurgie esthétique. Tu parlais d'une nouvelle technique, brésilienne je crois, qui ne se pratiquait qu'à Toronto mais qu'un médecin montréalais avait maintenant maîtrisée.

Nous avons trouvé ce médecin et nous l'avons rencontré. Tu as décidé de te faire opérer, malgré les risques et malgré nos avis. Ç'a été un désastre. Tu es restée longtemps à l'hôpital, tu as été très malade, les greffes n'ont pas pris, tu as développé des nécroses, le nettoyage de tes plaies t'a fait souffrir comme une bête et tu devais désormais vivre avec le résultat, pire qu'avant. Une année entière a été nécessaire pour te remettre physiquement de cette terrible aventure.

L'année suivante, le chat se réveilla pour une quatrième fois. Puisqu'il n'avait plus de seins pour se jouer de toi, il s'en prit à ta peau. Notre ami, le docteur, crut que c'était l'attaque finale. Il te prescrivit une lourde chimiothérapie qui te fit entièrement perdre tes cheveux. Comme tes seins, tu aimais tes cheveux et il est vrai qu'ils étaient beaux. Je me revois en train de les ramasser par terre et de les faire disparaître sans que tu les voies. C'était trop triste. Mais nous avons acheté la perruque et tu t'es battue comme une tigresse. Tu es devenue chauve, comme moi, et nous en avons bien ri.

L'improbable se produisit : en une année et demie, tu vins à bout de ce cancer de peau. Tu avais quarante-cinq ans. Le docteur n'en revenait pas, il était fier de toi, de lui, de nous tous. Il me confia que tu étais imprévisible, atypique et qu'il avait réellement pensé que ce cancer de peau allait avoir le dernier mot. Il ne savait plus quoi penser, d'ailleurs. Tu ne répondais pas aux courbes des études, aux prévisions statistiques, aux normes de la maladie. Tu étais peut-être une souris particulière. Nous croyons tous que nous sommes des supersouris. Toi, tu commençais à en faire la preuve. Je me suis mis à croire que tu pouvais tout surmonter.

L'année suivante, ta bonne amie Marie mourut. Tu lui avais rendu visite la veille de sa mort et tu étais revenue à la maison complètement bouleversée. Tu avais vu la mort dans ses yeux, disais-tu, et elle était si maigre et si souffrante… À son enterrement, tu te mis à me répéter que tu allais la suivre de près. Et tu pleurais. Je te rassurai jusqu'à ma dernière goutte d'espérance. Toi, disais-je, tu n'es pas pareille aux autres.

À l'automne de tes quarante-six ans, le chat porta un coup qui montrait qu'il voulait en finir. Ce fut comme un coup de griffe dans tes côtes. Je me souviens de ce soir-là, j'entends encore, j'entends souvent ton cri de douleur. Comme si un poignard te transperçait. Nous avons pensé à un muscle déchiré, à une côte fêlée, à n'importe quoi pour ne pas penser au pire. Mais une fois devant le docteur, notre ami, il fallut se rendre à l'évidence. Le visage lui changea, comme on dit, quand il regarda les radiographies. C'était un cancer de la plèvre. Nous ne connaissions pas ce mot, cette partie du corps, mais nous l'apprîmes ce lundi-là. Disons l'enveloppe du poumon. C'est peut-être le cancer le plus douloureux qui soit en raison de la concentration des nerfs dans ces parages. Le bon médecin se leva, il te prit dans ses bras, toi qu'il admirait, toi qu'il connaissait si bien depuis onze ans qu'il te soignait, et il pleura.

Ce cinquième cancer allait être le dernier. Notre ami prescrivit une chimio expérimentale, à l'aveugle, dans l'espoir d'un miracle. Nous étions en septembre. Il fallut avertir nos proches. Tu me disais : comment fait-on cela, mourir ? Comment meurt-on ? Tu voulais savoir comment les choses allaient se passer et je ne le savais pas. Je nous revois ensemble, dans les corridors de l'hôpital, recevant des nouvelles toutes plus éprouvantes les unes que les autres, examinant des radiographies qui se lisaient d'elles-mêmes. Je nous revois dans l'auto, tu discutais de l'après, de ce qu'il fallait faire, de ce qu'il ne fallait pas faire. Nous faisions pitié et nous avions si peur. Notre fils te fit une lettre qu'il laissa sur ta table de chevet. Je te revois prendre la lettre, la lire et me la remettre. Il te disait que tu avais le droit de partir, que tu étais une grande soldate et que tu allais renaître dans le corps d'un chevreuil, dans les Laurentides. Tu aimais tellement les chevreuils. Il te disait que nous étions fiers de toi et que nous n'allions jamais t'oublier.

Tu continuais à travailler comme si de rien n'était. Quelqu'un nous a donné *Le Livre tibétain de la Vie et de la Mort* mais nous ne l'avons pas lu. Nous allions en chimiothérapie comme des automates, des condamnés. Nous faisions semblant de vivre. Mais le chat resserrait sa prise tous les jours, il avait entrepris de t'étouffer. Tu toussais et tu respirais de plus en plus mal. Tu as voulu faire un dernier voyage, en Grèce. C'était impossible, voire dangereux, mais nous l'avons fait quand même. Dans cet hôtel triste d'Athènes où tu râlais dans ton sommeil, j'implorais Dieu de me donner le moyen de tuer ce monstre. Mais Dieu ne me répondait pas. J'étais impuissant comme cela ne peut s'imaginer. Nous sommes revenus en avion en sachant que nous devions passer au dernier acte. Puis, ce fut aussi ta dernière visite à notre maison dans les Laurentides. Ton dernier Noël, ton dernier anniversaire, tes adieux à tes nombreuses amies.

Tu étouffais. Notre ami le docteur nous fit venir pour une dernière réunion. La chimio ne donnait aucun résultat, il ne voulait plus la continuer. Il abdiquait. Nous repartîmes avec des prescriptions de nouveaux médicaments. Il y en avait beaucoup et de bien des sortes. Quelques semaines plus tard, par un soir de printemps, tu rentras à la maison et tu me dis d'annuler tous mes engagements pour la prochaine semaine. Tu avais cette manière de dire les choses directement. Mais je vis dans tes yeux tout le désespoir du monde. Nous sommes allés dans un parc, près du fleuve. Tu m'as dit que cette sortie était ta dernière.

Une fois rentrée, tu as précisé que tu voulais t'installer près de la fenêtre donnant sur le fleuve, dans ton récamier. Tu toussais de plus en plus, tu n'arrivais plus à respirer. Cela a duré quelques jours et un soir, alors que tu tenais à peine debout et que j'essayais avec grande difficulté de te faire avaler toutes tes pilules, dans la cuisine, près de l'évier, tu m'as pris par le bras et m'a soufflé à l'oreille : j'abandonne, je suis déjà morte, c'est trop dur, cela fait trop mal. Tu t'es installée finalement dans ton récamier, entourée de fleurs d'hibiscus, près de la fenêtre.

Je me suis assis près de toi, tu as repris ton masque à oxygène. Les heures passaient. C'était comme si tu dormais, avec ton toutou serré contre ta poitrine. Je te tenais la main. Tu t'es réveillée, tu voulais me parler. Tu as murmuré : je ne vois plus que des ombres. Puis, des larmes ont coulé sur tes joues. Tu as continué : je ne verrai plus mon fils, je ne verrai plus le beau visage de mon fils. Je ne pouvais répondre, je t'ai serré la main.

Puis je me suis penché vers toi et je t'ai dit : je t'aime. Tu as répondu : moi aussi. Ta tête s'est penchée sur le côté, tu as sombré dans une sorte de sommeil.

Le lendemain, le soleil se leva sur le fleuve, il faisait un temps magnifique. C'était le 25 mai, tu venais d'avoir quarante-sept ans. Le chat n'était plus là. Pour la première fois depuis treize ans, le chat n'était plus là. Cela se voyait sur ton visage. Je lui ai trouvé une paix que rien ne peut décrire. Je lui ai trouvé une beauté que personne ne pourrait reproduire. Il fallait que nous soyons des ombres pour te permettre de respirer. Je t'ai pris la main, elle était froide. Dans ma tête, je t'ai félicitée. Tu vois, c'était si simple. Là où tu es, la mort ne peut plus rien.

Un mois plus tard, j'étais reçu chez nos amis où nous allions régulièrement ensemble, à la campagne. Pendant le souper, alors que nous parlions de toi et convenions de ton bonheur de ne plus avoir à combattre l'impossible, j'ai vu leur chat sur la pelouse en train de jouer avec la vie d'une petite souris. Il était heureux, le chat. La souris n'essayait même pas de s'enfuir. Elle se savait prise. Le chat faisait durer le plaisir. J'ai été saisi d'une incontrôlable crise de larmes que mes hôtes ont attribuée à la normalité du deuil. Mais ce n'était pas toi dans la mort qui me faisais pleurer, c'était toi dans les griffes du chat.

J'étais seul et vivant. J'avais la vie en héritage. Je réalisais que j'avais été la souris d'à côté, la souris qui avait tout vu mais qui n'avait rien pu faire que de rester à tes côtés. On invente toutes les armes pour tuer la vie, mais aucune pour tuer la mort. J'avais été le désarmé.

Un chat est un chat. Nous mourons aux chats, aux balles perdues, au simple temps qui passe. Vivants, nous sommes tous à la portée de ces malheurs ordinaires. C'est la vie. Mais les morts, eux, reposent en paix. Il ne semble pas que la souffrance et l'insupportable les atteignent au-delà d'une certaine porte.

Tu l'as refermée, cette porte trop longtemps entrouverte, tu l'as refermée doucement sur une chambre de peine, mais il était bon de te savoir finalement sortie. Je n'en voulais pas à la mort qui te faisait libre, j'en voulais à la seule chose que je sais. J'en voulais à la vie, à cette vie si belle que nous pleurons quand il nous faut renoncer à sa beauté, à cette vie si cruelle qu'elle ne devrait pas avoir le droit d'exister. Voilà ce que je me disais qui était la pensée floue d'une âme en peine. Une chose est sûre : mourir nous libère de la mort. Ce qui n'est pas rien.

Décembre 2000

Le dernier sourire du prophète

Pour être rebelle, de nos jours, il suffit d'être humain.

Les anciens Innus du Nord, les nomades algonquiens de la Boréalie, n'avaient pas de chefs. Quelle ironie ! Quel paradoxe ! Des Indiens sans chef ! Pour avancer (ce qui est fondamental dans le cas des nomades), ils s'en remettaient aux *meneurs,* aux *guides,* aux *éclaireurs.* Nul n'était tenu de les suivre. Tous savaient pourtant que celui-là voyait et voyait mieux que quiconque. Tous savaient reconnaître celui ou celle qui marquait le chemin.

Que voyait-il, ce guide, que les autres discernaient moins bien ? Rien de spectaculaire. Il portait simplement en lui-même les authentiques tenants et aboutissants de la vie humaine sur la terre, il saisissait *l'enjeu.* Il poursuivait un but. S'il fallait résumer, nous dirions ceci, qui est si pertinent dans les bruits et cohues d'aujourd'hui : être Innu, c'est-à-dire être humain, n'est pas donné. Cela constitue un effort, une quête, une élévation et un recueillement. Tous n'étaient pas Innus d'office. Car tous, dans la communauté, n'acceptaient pas les conditions de la quête, l'effort pour être toujours plus humain.

Que cherchait-il, que rejetait-il, cet Innu modèle ? Il valorisait *l'unité du monde,* la parole, la conscience, la communauté du vivant. Il animait l'immatériel, prêtait sa voix aux animaux, incluait la mort dans le vivant, sacralisait l'échange, croyait aux rêves, tenait les enfants pour précieux, savait que les vieillardes et les vieux avaient leur place autour du feu, il savait que l'être seul était un être mort. Il pensait à tout, il voyait à tout, avec la sensibilité très pratique de ceux et celles qui se dépensent totalement pour que chacun mange, que chacun se sente bien dans le cercle, à la chaleur humaine de la famille humaine. À l'inverse, il craignait la paresse intellectuelle et physique, il abhorrait la tricherie, l'égocentrisme, le pouvoir maléfique du pouvoir tout court, il détestait tout ce qui brisait l'unité du cercle animé d'un monde qui ne demandait qu'à bien tourner.

L'homme cherche à faire le monde, à le refaire et le refaire, c'est-à-dire à tout embrasser, jour après jour. Marche bien, parle bien, rêve bien, aie de l'empathie pour l'animal que tu tues, sois reconnaissant envers l'animal que tu manges, sois généreux envers ton hôte, aide la famille dans le besoin, fais l'effort nécessaire pour surmonter l'adversité, ne perds jamais de vue là où tu es, là où tu dois aller.

Et puis, il y avait le rire. Savoir rire est aussi important que savoir pleurer, que savoir parler, chanter, danser, marcher. L'humain rit.

* * *

J'ai souvenir de ma dernière rencontre avec mon frère Innu, descendant malheureux d'une longue lignée de grands nomades. Petit George, l'Outarde, était mon ami, nous avions le même âge. Nous nous étions donné rendez-vous dans un restaurant morose de la ville de Sept-Îles. Il est arrivé, péniblement, soufflant, souffrant sur ses deux jambes artificielles, s'appuyant sur sa canne. Tu sais qu'il n'y a que six îles à Sept-Îles, a-t-il dit en entrant, juste pour rire. Je n'ai pas connu beaucoup de plus beaux sourires que celui de Petit George, l'Outarde. Et nous avions bien besoin de rire cette journée-là. Car il allait bientôt mourir, il le savait, je le savais, nous savions que nous allions, ce midi-là, prendre une dernière tasse de thé ensemble.

Deux club-sandwichs que nous n'avons pas mangés. Petit George a cinquante-huit ans, il meurt du diabète : trop de bière, trop de sucre, trop de réserve indienne. C'est un enfant des pensionnats. Cela dit tout. J'ai tellement eu peur, dit-il, quand ils sont venus me chercher, j'ai tellement eu peur sur le bateau qui nous amenait ailleurs. Je n'avais que six ans, tu comprends... Et dans ce restaurant triste, l'homme qui rit naturellement, bellement, maintenant pleure. Mourir n'est pas simple, après tout, surtout quand on a le sentiment qu'on s'est fait voler sa vie. Mais encore, il parle un si beau français, mon ami, il a lu tant de livres. Il a retenu tant de choses. Un esprit original et puissant, me direz-vous, un intellectuel sans audience, un artiste sans public, un philosophe sans élève, un simple Indien.

Il dit : j'aurais aimé être ce que j'étais, chasseur et voyageur, sur les chemins de mon père, mais aussi vivre en Italie, apprendre le chinois, parcourir le monde, voir le ciel du Montana, me recueillir sur la tombe de Crazy Horse, il y a tant de choses. Mais voilà... Je n'ai pas eu la force... d'aller de l'épinette jusqu'au palmier, de mon village à toutes les villes... de la taïga au désert...

Il avait été si beau dans sa jeunesse, quand nous nous sommes connus, il y a quarante ans. Il était fort aussi, chasseur d'outardes, pagayeur, marcheur, les dents blanches qui découpaient son magnifique sourire, la peau très foncée, les cheveux noir corbeau. Il sentait l'eau des lacs, le sel de la mer, le mélèze brûlé, le caribou séché.

Celui qui va mourir reconnaît bien la blessure mortelle à l'origine de sa fin présente : je n'avais que six ans, nous avions tellement peur sur le bateau qui nous amenait ailleurs...

Jambes coupées du grand marcheur de rêve. Souffle coupé de l'esprit de l'Outarde. Nous avons eu ensemble un dernier rire quand nous nous sommes quittés. Je l'ai embrassé sur le front, je lui ai tenu la main, il m'a regardé en souriant, le visage amaigri par le mal de la mort qui le tenait, les quelques dents qui lui restaient lui donnant un air de petit diable tout souffrant, mais beau quand même et malgré tout, alors que moi aussi, je me suis mis à rire tendrement en lui soufflant : je sais, je sais, mon frère, il faut partir, mais nous avons été et rien n'est vraiment perdu.

Il s'est levé péniblement, reprenant sa canne, et a traversé le restaurant. Au moment de sortir pour de bon, il m'a jeté un dernier regard, un regard si intelligent que je ne l'oublierai jamais. Il y avait dans ses yeux le résumé de toutes nos joies passées, de toutes nos espérances de jeunesse, de toutes nos conversations.

Mon ami est mort. L'homme-outarde a terminé son voyage, quelque part entre Sept-Îles et Mingan, sur cette côte ingrate que les anciens appelaient le Paradis, la Terre des Hommes.

* * *

Nous étions si profondément spirituels qu'il nous a toujours été très difficile d'être religieux, disait Naedzo, un prophète déné-tlicho, au nord de la petite ville de Couteau-Jaune, sur les rives du grand lac Sahtu (pour parler comme les médias, disons : un autochtone du lac du Grand Ours, dans les Territoires du Nord-Ouest).

Pied de Corbeau, le malheureux maître pied-noir, est réputé pour avoir dit au moment de mourir : la vie n'est pas plus que la brume du souffle du bison, petit nuage fragile qui flotte un instant dans l'air glacial du petit matin, elle n'est pas plus que l'éclair minuscule de la luciole dans la nuit. Mais connais-tu quelque chose de plus beau qu'une luciole dans la nuit noire, qu'une silhouette de bison à l'aube dans la prairie ?

La vie est tout ce que nous avons. Il faut savoir vivre jusqu'à sa propre mort, tout vivre, ses victoires comme ses défaites, ses élans heureux comme ses élans malheureux.

Anadabijou, le Premier Homme, grand éclaireur innu, qui devait être bien impressionnant pour porter un nom semblable, fut parmi les premiers Amérindiens à rencontrer les Européens en Amérique du Nord. Cela se passait à Tadoussac, en 1603. Il aurait dit aux Français : nous, les humains d'ici, et vous, les humains de là-bas, nous allons nous mêler, nous embrasser, et faire un nouveau monde.

* * *

Je suis allé aux funérailles de Petit George, l'Outarde. J'ai pris la route de bon matin pour parcourir les 1 100 kilomètres qui longent le grand fleuve en descendant jusqu'à Mingan. Onze heures de recueillement, passant par Tadoussac, l'antique Mecque des Innus, roulant, roulant sur la route 138, pénétrant toujours plus avant dans la planète d'épinettes noires, sur ma droite le fleuve qui se donne des airs d'océan, sur ma gauche l'immensité de la Boréalie qui traverse tout le continent.

J'ai pensé à lui, rien qu'à lui, en me rappelant que Petit George avait été musicien, et qu'il projetait d'écrire un livre.

Devant la petite maison de Petit George, je stationne ma voiture et j'en descends un peu étourdi par tant d'heures de route. Il pleut. La réserve indienne de Mingan est si triste quand il pleut. Je reconnais bien le village, ses allures laides et délabrées, ses manières de vous souffler à l'oreille : ici l'ennui, ici nulle part.

Une trentaine d'enfants volettent autour de moi, me regardent en riant, courant, tombant. Julie, la femme de Petit George, sort sur le balcon au milieu de quelques hommes qui s'y tiennent. Je monte les escaliers de bois gris, Julie me prend par le bras et me conduit à l'intérieur. L'homme-outarde est là, dans son cercueil, exposé dans le salon. Mais il y a tant de monde, de la porte jusqu'au mort, une petite foule compressée qui occupe toute la place disponible.

Comment est-ce possible ? Tout le village veille au corps ? Ils sont tous là, ceux et celles que je connais bien, ils sont tous là aussi, ceux et celles que je ne connais pas, depuis trente ans que je ne viens plus à Mingan très souvent. Julie me fraye un passage au travers du groupe et elle m'offre une chaise à côté du cercueil. Il n'y a que trois chaises, une pour Julie, une pour un vieil homme, l'autre pour moi.

La pièce est à peu près silencieuse. On murmure, on chuchote. Dehors, les chiens jappent, les enfants crient. Le temps passe et rien n'arrive. C'est long. Le temps continue à passer et c'est plus long encore. Il y a bien deux heures que je tiens sur ma chaise, immobile. Tous savent que je suis l'ami de Petit George, celui qui parle à la radio, celui qu'on voit à la télévision, qui écrit des livres, mais surtout celui qui a jadis vécu ici, à Mingan, à qui il est arrivé tant d'histoires drôles que les plus vieux se les racontent encore, celui qui a écrit les dires innus de Mathieu Mestokosho, le père de Petit George, grand chasseur, grand monsieur.

Je me lève, je touche le front de mon ami, je lui dis : c'est bien que tu sois mort, mais c'était bien quand tu vivais. Je sais combien cette tête a pensé, a tenté de réparer ce qui était brisé. Maintenant, repose-toi.

Je sors un moment sur le perron pour fumer une cigarette. Il est là, le village, elle est là, la réserve indienne. En 1885, au terme de son procès pour rébellion, le chef Gros Ours a dit : avant l'arrivée des Blancs, nous étions nombreux, nous étions forts, nos pays étaient vastes et nous étions beaux. Eux, les Blancs, ils étaient faibles, peu nombreux au début, souvent malades et démunis. Nous les avons aidés, ils se sont mariés avec nos femmes, nous les avons guidés, nous les avons accueillis. Mais d'autres sont venus, très nombreux, le chemin de fer, les arpenteurs, les militaires, le gouvernement. Ils ont pris les terres de nos ancêtres. À présent, c'est nous qui sommes malades, affamés, peu nombreux, dispersés, enfermés dans des réserves, et je ne vois plus de beaux Indiens. Car ce sont les Blancs qui sont beaux à présent et nous, nous sommes devenus laids.

Je rentre pour reprendre ma place à côté du cercueil, dans la maison où s'entasse encore plus de monde. Une autre heure s'écoule. Puis, sans avertissement aucun, le vieil Innu assis à mes côtés se met à chanter. C'est un chant funèbre traditionnel, une complainte immémoriale, toute la culture innue en résumé. Une vieille femme, tout près, ajoute sa voix à celle du vieux. Finalement, tous les gens présents entonnent les derniers chants.

C'est fini, on ferme le cercueil, non sans que Julie et ses filles s'en approchent et se mettent à pleurer bruyamment, jusqu'à pousser des cris déchirants. La pièce, si silencieuse depuis des heures, s'est transformée en un théâtre d'émotions incontrôlables.

Tous les gens du village, les enfants, les chiens, tous ont marché derrière le corbillard en une longue file indienne, sous la pluie.

Petit George n'était pas un chef, il n'a pas fait de politique. Il n'a pas écrit de livres ni chanté de chansons. Il a été un guide, tout simplement, un éclaireur malheureux qui a toujours gardé espoir.

Il ralliait et rassemblait rien qu'à être. Au cimetière, quelqu'un me dit : tous le consultaient et il ne donnait jamais d'avis.

* * *

Les prophètes ne sont pas ceux qu'on pense, finalement. Petit George disait : nos enfants sauront mieux, feront mieux, iront plus loin. Petit George n'a pas pu surmonter sa peur, il n'est jamais revenu du pensionnat qui l'avait détruit. Il a joué une très mauvaise partie dans la chaîne de l'histoire. La rencontre a mal tourné, elle a tourné au cauchemar. Les Indiens sont devenus des Autochtones, les Innus, les Cris, les Pieds-Noirs, les Anishinabes, les Dénés, les Haïdas, les Micmacs sont devenus des Autochtones, le Canada s'est drapé dans l'amnésie historique, le métissage culturel a bien eu lieu, mais il a été nié dans la conscience collective. Tout a versé dans le politique, le socioéconomique, le juridique, l'idéologique.

Mais Petit George était ailleurs. Ni amer ni haineux, il s'était construit un monde dans sa tête. Demain, ailleurs et autrement, les enfants du futur sauront se rencontrer les uns les autres, nos enfants seront des enfants du monde, ils voyageront, s'enrichiront de leurs multiples expériences, parleront plusieurs langues. Mais ils seront Innus, de nouveaux Innus, plus beaux que jamais parce que plus humains que jamais.

Quand tout allait très mal, l'homme-outarde riait comme jappent les outardes à contre-vent qui survolent les grandes villes hostiles. Oui, la dignité est un combat. Nous n'avons pas toujours la force, mais il faut toujours s'efforcer. Petit George aimait les humains, car c'était un humain. Il savait et vivait les affres de l'échec historique, mais il voyait les merveilles de l'ouverture, il avait l'appétit des autres. Tous le consultaient mais il ne donnait jamais d'avis. Il ne faisait que montrer de ses yeux et de son rire là où nous devrions aller.

Pontiac, le grand prophète des Ottawas, disait en 1760 : soyons tous réunis, soyons ensemble, nous les Indiens, formons un seul peuple. Apprenons les arts utiles, les arts subtils, apprenons des autres, soyons un grand peuple parmi les autres. Créons un monde nouveau qui n'a jamais existé, au-delà des guerres, des injustices et de la misère… Mais Pontiac est devenu une voiture GM.

Nous avions trop de vision pour être politiques.

Ceux qui s'ouvrent les yeux voient grand. La beauté est partout. J'ai pris leçon profonde de mon frère innu. Nous n'étions pas du même monde et nous étions du même monde. Il ne faut pas désespérer, mais bien plutôt cultiver l'espérance. Les prophètes rebelles seront de plus en plus nombreux. Ils ont toujours été nombreux. Ils sont et seront philosophes, artistes, poètes, penseurs sauvages en rébellion contre la pensée convenue. Méfions-nous des chefs, des grands comme des petits. Méfions-nous de ceux qui demandent obéissance. Mais sachons reconnaître le prophète rebelle qui marche calmement dans les tempêtes du monde.

Il n'est pas de distance entre deux humains qui ne saurait être parcourue, à la vitesse de la lumière, par raccourcis poétiques, chemins de travers et non pas de traverse. Trêve de géométrie, de programmes, de calcul et d'analyse. Deux êtres qui se touchent, c'est touchant. Une frontière n'est jamais une frontière quand elle peut être franchie avec joie.

Nous sommes des passeurs, alors passons à autre chose.

Novembre 2006

Elle attend la mort

Ce matin, ma mère n'est pas morte. Elle s'appelle Émilienne et je ne cesse de me répéter que cette femme vieillit bien au-delà de ses capacités. Il y a longtemps qu'elle aurait dû, à un certain crépuscule, pencher la tête sur son épaule et s'endormir pour de bon. La vie est ainsi faite, elle ne mène nulle part ; dans cette direction, il n'est pas bon de s'enfoncer trop avant. Le vieillissement inconsidéré pousse les gens dans une mauvaise passe, loin des affaires humaines, et loin encore des âmes mortes, un lieu réputé inconfortable. Rien ne s'améliore, tout se détériore, et le terrain perdu ne se regagnera jamais. Trop avancée en âge, ma mère se retrouve à demeure sur la liste des blessés. Il est long, le naufrage du bateau échoué. Prisonnier des galets, vulnérable sur la grève, cela craque, cela grince, les marées vous ballottent juste assez pour vous donner le mal de mer, mais la grosse vague libératrice, la scélérate qui vous achève, celle-là, tant souhaitée, se fait cruellement attendre.

Son prochain anniversaire sera son quatre-vingt-douzième. Rendu là, l'esprit peut dormir tranquille en sachant à l'avance tirer orgueil des chiffres qui apparaîtront sur la pierre tombale. Toute date qui viendra s'accoler à 1919 fera belle figure sur le terrain du cimetière ; le passant du dimanche, s'il n'est pas trop distrait, pourra s'arrêter devant sa tombe, lire les chiffres, calculer l'écart, pour se dire en lui-même que cette Émilienne-là a passé son lot de temps sur terre. Ma mère appartient à ce club, celui de la longévité. Aller la voir de son vivant revient à remonter dans le passé. Elle est artéfact, une pièce témoin qui a traversé les époques. Elle sent la crise, la grande crise de 1929, elle sent la guerre, la Seconde Guerre mondiale, elle respire les films en noir et blanc. Chaque vie humaine compte pour une grande histoire du simple fait d'avoir été. Mais il vient un moment où les années n'ajoutent plus rien au récit. Le temps s'étire, inutilement. Et l'on se dit chaque année : passera-t-elle l'hiver ?

Émilienne adore voir le soleil se lever, il aura toujours fallu dans sa vie que sa fenêtre de chambre regarde vers l'est. Les matins se succèdent et elle est toujours là, une chandelle qui menace de s'éteindre, mais qui ne s'éteint pas. Nul ne saura jamais le véritable principe de la lenteur. La longévité combat la rapidité de l'érosion, elle défie la rupture brutale, elle évite soigneusement la cassure radicale. Le cœur se ruine assurément, il se ruine à petit feu, parfois à très petit feu, si bien qu'il bat à peine. Tout se défait, s'affaiblit, tout se meurt, et finalement rien ne s'anéantit. C'est comme avancer à pas d'escargot sur la crête du précipice. Il n'y a pas de retour en arrière ; sur le rebord, on s'installe, quasiment immobile, mais bougeant cependant, toujours un peu plus près de l'échéance. Tout descend « égal » ! Cela devient un jeu tragicomique : « La mort m'a oubliée, la mort me boude, la mort me laisse sécher sur place. C'est long, c'est bien trop long ! » C'est en effet une assez grande cruauté que de laisser l'être vivant s'entortiller dans le filet de ses incapacités.

Juste à respirer, ma mère pose le problème de la vieillesse dans sa totale absurdité. Elle n'est ni sénile ni débile, dans le sens d'être *retombée en enfance*. Elle souffre plutôt de la malédiction provoquée par ce mal dont on dit trop vite que c'est un bien : *elle a encore toute sa tête !* Mais qui donc voudrait avoir toute sa tête, alors que l'échéance approche sans vraiment s'approcher, alors que toutes ses fonctions vitales, les unes après les autres, commencent à faire défaut ? La conscience aiguisée ne s'avère pas toujours une bonne façon de voir. Celui qui ne meurt pas se condamne à vieillir, et dans les affaires humaines la longue durée n'a pas de valeur en soi. La mouette ne volera plus jamais, regardez ses ailes repliées et ses plumes périmées ; qu'elle est haute la falaise et longue la journée, qu'elle est triste la plage, qu'ils sont gris les graviers, lorsque tu sais…

La Nature, dans sa bienfaisance, a normalement prévu le coup : au fil du temps qui s'éternise, elle enlève graduellement la vue à la créature qui vieillit, elle réduit sa capacité d'entendre les sons, elle entrave sa mobilité en lui paralysant les ailes ou les jambes, et, comble d'intelligence, elle euthanasie lentement le cerveau. Une conscience au ralenti supporte mieux l'inéluctable naufrage. L'engourdissement des sens devient le bouclier essentiel dans ce combat absurde. Ma mère dit : « La grande vieillesse est une maladie incurable. Laissez les médecins et leur batterie de tests s'occuper des jeunes récupérables. Il faut réparer le réparable. Moi, tout ce que je demande à la médecine, c'est de m'empêcher de souffrir, de me calmer au besoin, et dans un monde meilleur qui viendra bien un jour, de m'endormir tout simplement et de me faire partir dans la dignité. »

La vieille lionne qui s'affale dans son trou de terre séchée, qui souffle et se raidit de douleur, parce que sa patte avant ne fonctionne plus, parce que ses crocs la font souffrir, ne boira plus, ne mangera plus, car elle sait d'instinct à quoi ressemble la fin du chemin. De son trou, elle regarde au loin courir les zèbres et les gazelles, reconnaissant qu'elle n'ira plus chasser avec ses amies lionnes. Maintenant immobile, la grande coureuse va rêver à ses anciennes poursuites, il y aura des impalas dans sa tête, et pour mieux les voir, elle devra fermer les yeux. Elle s'endormira finalement, emportée par le troupeau imaginaire qui bondit dans sa mémoire, et, ne pouvant plus vivre, elle s'en ira bien naturellement au paradis des lionnes, prostrée dans sa méditation finale.

La Nature, cependant, est parfois brouillonne et un peu distraite. Elle laisse traîner les choses sans qu'on en sache les causes. Elle oublie des sujets sur la touche, les laissant étonnés et sans voix. Ma mère est cette lionne qui n'a pas su trouver son trou, qui a continué sur le sentier malgré ses pattes chancelantes, ses crocs émoussés, son petit souffle court. Elle est diabétique depuis des lunes. Voilà une maladie sournoise qui tue très lentement, si lentement qu'on se demande parfois si elle tue vraiment. Son diagnostic remonte à 1970. Le chemin de sa détérioration fut long, imperceptible. Devenue octogénaire, Émilienne vivait encore très bien et en santé. Elle vaquait à ses affaires, trônait dans son appartement au sixième étage d'une tour remplie de vieux « autonomes », observant la course du soleil et le courant paresseux de la rivière des Prairies. Elle lisait à longueur de jour, se promenait à petit trot, heureuse de sa routine comme une vieille dame orgueilleuse qui ne concède plus rien à personne. Les années passaient, et Émilienne coulait de beaux jours dans sa solitude, dans ses lectures, ses petites gâteries, ses repos. Un jour, dans la quatre-vingt-sixième année de son âge, elle eut une forte grippe qui l'affaiblit beaucoup. À partir de là, elle prit ce qu'on appelle « un coup de vieux » ; depuis, elle s'étiole lentement.

Émilienne a cessé de fumer à quatre-vingt-neuf ans, contre son gré. Comme quoi la cigarette tue bien lentement, à la manière du diabète qui parfois traîne de la patte et prend son temps. C'était la recette parfaite pour se tuer : nicotine et grignotine. Mais il faut croire que cela ne fonctionne pas à tous les coups. D'ailleurs, depuis qu'elle ne fume plus, ma mère se sent moins bien et elle doit prendre des calmants. Le cancer l'habite probablement, mais ce cancer n'a rien à se mettre sous la dent. Ma mère pèse une plume, elle pourrait bien s'évaporer avant de s'éteindre. Selon son opinion, la route s'éternise sans raison et elle ne voit plus très bien à quoi lui sert de vivre puisque la pente descendante est sans retour possible. Il y a ses pilules, ses nombreuses pilules, pour la pression, pour uriner, pour dormir, pour le cœur, pour le mal de cœur, pour le sucre dans le sang, et j'en passe. Il lui faut une injection d'insuline par jour, un timbre de nitro pour réveiller la petite pompe. La simple gestion de la pharmacie vous occupe une vieille une bonne partie de la journée.

Depuis deux ou trois ans, Émilienne ne mène plus un bien grand train : elle se lève à peine le matin, passant du lit à sa chaise roulante. Elle fait semblant de déjeuner, une gorgée de café, un brin de rien et des pots de protestations, la revue des maux qui affligent les vieux corps, une autre journée à durer, *pourquoi mon dieu fallait-il que cela tombe sur moi !* Avec l'aide de la femme qui s'occupe d'elle tous les jours, Émilienne prend sa douche. Elle ne chante pas sous le pommeau. Bien au contraire. Voilà le lavage humiliant de celle qui ne tient plus debout, dans un environnement où tout menace, l'eau, le savon, le plancher mouillé, le courant d'air, le regard de l'autre. Cette douche quotidienne demeure une grande victoire : ma mère ne veut pas sentir « le vieux ». Toutes les vieilles se souviennent des vieux de leur enfance, de ce dont ils avaient l'air, mais surtout des odeurs qu'ils dégageaient. Aussi demande-t-elle pour Noël son parfum *Arpège* de Lanvin ; ironiquement, cela même trahit son grand âge, car même le très conservateur magasin La Baie ne le tient plus. Oui, c'est au tour d'Émilienne de supporter le regard des autres, elle qui jadis l'attirait. Elle qui séduisait les hommes, qui relevait la tête, le nez, qui marchait fort et travaillait infiniment, la voilà qui se regarde dans le miroir : insupportable image du corps fini, la nature ne fait pas dans la dentelle.

Puis, il faut aller aux toilettes. Même si elle n'est pas « vraiment malade », même si elle n'est que trop vieille pour vivre avec un diabète qui tergiverse et ne l'achève pas, les inconvénients sont nombreux. Reviennent souvent les diarrhées et les constipations, les vomissements et les maux de cœur. La salle de bains est une salle d'opération où se multiplient les gestes risqués, les mille et une précautions. D'ailleurs, ce que les intervenants en vieux et vieilles appellent les « transferts » sont des processus qui s'avèrent toujours des moments de suspense, des instants énervants où la vieille risque de tomber. La chute d'un vieux conduit à des fractures irréparables, de la hanche bien souvent. Ma mère est tombée à plusieurs reprises avant de se résoudre à s'asseoir pour de bon. Heureusement, au-delà de spectaculaires hématomes, elle ne s'est jamais rien brisé, habituée comme elle est de rebondir sur les contrariétés. Voilà probablement son secret : c'est une grande rebondisseuse ! Or, Jankélévitch le mentionnait, vivre se résume à rebondir. La vie est essentiellement pneumatique, une inspiration, une expiration, les deux mots disent tout. Nous sommes des balles et des ballons lancés à l'aveuglette dans une allée de ronces et de pierres acérées, autant d'épingles et de pointus qui menacent notre existence : nous roulons et déboulons, nous nous entrechoquons jusqu'à l'ultime crevaison. Comme des bulles de savon soufflées dans l'air, allez savoir pourquoi, certaines voyagent loin et longtemps, tandis que d'autres crèvent rapidement.

Une fois le cap des affaires intimes franchi, la journée commence. Voilà Émilienne dans sa chaise roulante, prête à je ne sais quoi. Jusqu'à récemment, elle passait son temps à lire. Cette grande autodidacte a lu durant toute sa longue vie, des livres et des livres, à raison de trois ou quatre par semaine. Et puis ses yeux s'en sont allés. Elle qui devrait être aveugle depuis longtemps à cause de son diabète l'est devenue d'avoir trop lu de livres. Ma mère aimait lire en buvant du café et en fumant des cigarettes. Tout a foutu le camp en même temps. Que faire d'une longue journée assise dans une chaise roulante, sans yeux pour lire, sans la permission de fumer des cigarettes ? Que faire sinon maudire les gens qui vous organisent une vie supposée bonne pour votre santé ! Émilienne regarde la télévision, pour son plus grand ennui. Car elle n'aime pas ce qu'elle voit, encore moins ce qu'elle entend. La liste de ses détestations est infinie. On dirait qu'elle profite de la triste programmation de la télé pour se tenir en forme rapport aux critiques qu'elle a toujours faites dans sa vie. Elle n'a jamais cru aux journalistes, encore moins aux politiciens. Elle commente les informations, dispute les experts, se désole de tout. Émilienne n'a jamais eu le culte des vedettes, loin de là. Elle n'a jamais lu de magazines consacrés aux célébrités. Elle croit que, de nos jours, il se raconte n'importe quoi, exactement comme dans son temps. Elle se méfie de la médecine et du pouvoir des docteurs, croyant fermement que lorsque les gens sont très malades, il arrive qu'ils meurent. Ma mère a toujours contesté le pouvoir, celui de Dieu, celui des prêtres, celui des hommes, celui des riches, celui des politiciens, et, finalement, celui de la science. Seuls les livres de culture générale et les romans auront trouvé grâce à ses yeux. Elle aime les histoires, elle n'a jamais aimé les faits. Peut-être est-ce pour cela qu'elle a vécu une éternité avec un homme irréel et surréaliste, un homme tellement ancré dans son imaginaire qu'il n'a jamais mis les pieds sur terre. Je parle bien sûr de mon père.

Ma mère radote et elle parle de gens encore plus vieux qu'elle, imaginez ! « Mémère lavait encore ses planchers au lendemain de ses quatre-vingt-dix-neuf ans. Elle est morte en dormant, sans se douter qu'elle ne se réveillerait plus jamais. Ses planchers étaient propres, mais allaient-ils le demeurer, désormais ? Autrefois, dans les taudis, c'était propre ! » Ladite Mémère datait de 1828, elle avait neuf ans au temps des Patriotes. Selon les dires d'Émilienne, elle en parlait encore dans ses souvenirs de vieille. Alors moi, je calcule : ma mère, qui est là, devant moi, et qui parle de sa jeunesse, se souvient d'une femme née en 1828, une femme qu'elle a connue alors qu'elle-même n'avait que neuf ans. Nous parlons de ces choses en 2010. Et je me dis qu'une femme de quatre-vingt-onze ans qui parle à son fils de soixante-trois ans d'une mémère qu'elle a connue dans sa jeunesse et qui avait quatre-vingt-dix-neuf ans, cela couvre une période de cent quatre-vingt-deux ans. Pas mal. Voilà à quoi un fils pense quand il est assis à côté de sa vieille mère qui raconte ses histoires !

Elle a des souvenirs heureux, elle mangerait bien des huîtres avec un bon vin, du saumon fumé, du champagne. Elle éprouve encore des pulsions et des désirs, mais elle ne goûte ni ne digère plus rien. Elle se revoit à New York, au Waldorf Astoria, en train de boire un martini sec, sous le regard intéressé des hommes. Grosse voiture américaine, liasses d'argent, les réceptions et la poudre aux yeux, le luxe, elle s'en ira avec ses secrets, ma mère. D'où lui venait tout ce pouvoir ? Pourquoi détestait-elle tant les curés, les églises, les hommes et les gens ? Pourquoi ces peurs paniques du feu, du froid, de l'abandon et de la solitude ? Émilienne parle avec autant de dureté que de tendresse de son mari Roméo, un amour aussi profond que rocambolesque, un amour qui a duré cinquante-quatre ans. L'homme était beau, menteur, fabulateur et ratoureux. « Il a tout eu, ton père, il est mort au bon moment, à l'âge normal de quatre-vingt-deux ans. Il est mort sans souffrir, sans avoir été malade, sans trop le réaliser finalement. Les hommes meurent souvent d'une crise cardiaque, et cela est un grand avantage. Comme d'habitude, Méo a eu la partie belle. Il avait toujours la meilleure partie. Il n'aura pas connu le calvaire de la longue durée. Il n'a jamais vu de médecin, il n'a jamais eu un mal de tête… Maudits hommes ! » Elle rappelle volontiers les infidélités de Roméo qui avait le malheur de trop aimer les femmes. Mais elle reste muette sur les siennes.

D'ailleurs, c'est bien cela, un vieux. C'est un silence, un secret, une menterie, un mystère. Nos vies sont des affaires que nous finissons nous-mêmes par ne plus savoir résoudre. Il y a tant de fils tissés, tant de corridors, tant de croisées de chemins, il y a tant de non-dit, de non-avoué, que le dossier entier finit par nous échapper. De quoi se souvient-on, à la fin ? Ma mère repasse dans sa tête les personnages, les rôles, les dialogues, mais elle ne sait plus très bien de quelle pièce il s'agit. Il y a sa mère, morte à trente ans et qu'elle n'a pas connue. Il y a son père indigne qui a abandonné ses quatre filles pour se refaire une famille. Il y a la pauvreté et la solidarité des pauvres, des mémères et des matantes, des pépères et des mononcles, des gens qui ont pris soin d'elle et de ses sœurs, dans les taudis du « faubourg à m'lasse ». Elle raconte l'histoire de sa tante Ida qui fut sa mère de remplacement, celle de sa sœur Thérèse, morte de tuberculose à dix-neuf ans. Pas chanceuse. Elle raconte encore l'histoire de sa sœur Jeanne, une « fille tombée », morte à vingt ans en accouchant d'un petit bâtard, devenu mon parrain. Émilienne voulait étudier, pratiquer le métier de médecin, se sortir de la misère. Mais Montréal était une ville cruelle pour une jeune femme sans argent, en 1935. Elle n'avait aucune chance de trouver assez de ressources pour devenir ne serait-ce qu'infirmière. Elle était belle, je vous l'ai dit, ce ne fut pas long qu'elle rencontra son Casanova, son Roméo en fait. Une famille a suivi, huit grossesses, quatre enfants survivants ; elle nous a élevés pauvrement mais dignement, puis elle est devenue mystérieusement riche, un gros succès financier, des voyages en automobile à New York et à Washington, ses destinations préférées, allez savoir pourquoi, puis une faillite aussi spectaculaire que dévastatrice.

Elle s'est cachée dans le fond d'une chambre, elle a essayé d'oublier, le temps a passé. Elle parle de ses enfants, de l'image de ses enfants, les uns après les autres, de ce qu'elle a fait, de ce qu'elle n'a pas fait, de ce qu'elle aurait dû faire ! Il lui fallut enterrer sa sœur Georgette, la dernière des quatre orphelines de 1923, puis son Roméo, puis sa fille, puis subir l'éloignement de ses fils qui lui reprochent d'avoir été une mauvaise femme. Je suis le dernier de sa couvée à demeurer dans ses parages. Depuis plusieurs années, je m'occupe d'elle comme on s'occupe de sa vieille mère. Il faut passer la voir, la rassurer, l'écouter. Elle vit désormais chez mon fils, en pleine forêt, juste à côté de chez moi. Elle, la citadine invétérée pour qui une forêt ressemble obligatoirement au parc La Fontaine à Montréal, elle se retrouve devant une fenêtre où elle voit des horizons d'épinettes. Si elle n'était quasiment sourde, elle entendrait hurler les loups. Mais peu importent les arbres et les coyotes, elle n'a connu d'autres loups que les requins de la ville, que les maquereaux endimanchés, elle n'a connu d'autres arbres que les érables argentés le long des trottoirs des quartiers, elle ne sait des oiseaux que le moineau domestique et le pigeon bizet. Ce qu'elle imagine dans sa tête en regardant par sa fenêtre, ce ne sont pas les Laurentides. Elle voit des tramways passer, des autobus des années 1950, elle voit Dupuis Frères, Morgan, Simpson et La Baie, elle voit la rue Sanguinet, la rue Drolet, les marchands du quartier, le cinq-dix-quinze. Elle a la mémoire courbe des grandes fatigues de la ville, sa vraie place. Les murs de son âme sont faits de pierres grises, de briques couleur rouille, de sloche brune en hiver, c'est une fille de ruelles et de nids d'asphalte brisé, rue Mont-Royal, mille ans avant le Plateau.

À quatre-vingts ans, en 1999, maman prenait l'avion pour la première fois de sa vie. Elle s'envolait en direction de Los Angeles afin de rendre visite à Monique, sa plus jeune sœur d'un « deuxième lit » avec laquelle elle s'entendait très bien. Monique n'avait que soixante ans et elle vivait en Californie depuis 1960. Elle avait suivi son mari qui avait dû quitter Montréal précipitamment, à la suite d'affaires louches. Émilienne fut reçue avec faste par la surprenante Monique qui l'attendait dans la suite d'un des plus grands hôtels de la ville. Sa sœur lui révéla qu'elle vivait dans ce luxueux penthouse depuis plusieurs années, gracieuseté d'un des plus importants chefs de la pègre de Los Angeles dont elle avait été la maîtresse ! Les deux femmes passèrent un bon moment ensemble, allant dans les beaux restaurants manger des langoustines et boire du champagne, dans les magasins chics, en limousine, comme des personnalités de cinéma. Elles ont ri, se rappelle ma mère, elles ont beaucoup ri. Personne ne saura jamais ce que les deux sœurs purent se confier l'une à l'autre en rapport à leur vie. Appelons ce film *La Vengeance des petites filles du faubourg à m'lasse* !

La vieillesse autorise à dire des choses qu'autrement on ne dirait pas. Ma mère fait bon usage de ce privilège. « Monique est morte trop jeune d'un cancer à la gorge. Elle n'avait jamais fumé. Tu vois, mon fils, ceux qui fument enterrent les non-fumeurs, et si Monique avait fumé, elle serait peut-être morte trop jeune, peut-être pas, mais elle aurait été satisfaite et contentée… et son cancer de la gorge aurait été mieux expliqué ! » Heureusement, être au pas de la mort pour cause de grande vieillesse adoucit tout de même les mœurs. Émilienne fut jadis belliqueuse, manipulatrice, très souvent mesquine et dure ; aujourd'hui, le sabre d'abordage est ramolli, émoussé, elle n'a plus la force de soutenir ses élans. Alors, elle se moque d'elle-même et des autres, elle fait semblant de ne plus rien ressentir, elle transforme son début de cécité en principe de philosophie : « J'ai le regard trop éloigné, et être objectif, c'est comme ne plus rien voir. » La vieille parle bien, elle a l'expression assurée de quelqu'un qui a beaucoup lu, elle mesure la cadence de son débit et choisit bien ses mots, même les plus vulgaires. Et pourtant, elle n'a pas la sagesse que l'on prête aux anciens : elle est souvent inquiète, et triste la plupart du temps, s'alarmant de tout. Rien de plus aigre que l'amertume d'une vieille qui se faisait déjà beaucoup de bile quand elle était jeune femme. C'est une vieille machine à idées noires que personne au monde ne serait en mesure d'enrayer. Lorsqu'elle parle de son état, en maudissant tous les saints du ciel, et les démons aussi, elle a raison. *Jamais on ne laisserait pareillement dépérir les animaux !* Elle a remercié pour toujours sa coiffeuse. De dos, on voit ses longs cheveux, d'une blancheur intemporelle, qui lui descendent comme des cordelettes jusqu'aux reins. Les cheveux blancs longs et en bataille sont des appels de phares : viens-t'en la mort ! viens-t'en la mort !

Les vieilles femmes qui s'endorment, recroquevillées dans leur lit, ont des pensées étonnantes et mystérieuses. Elles rient, elles s'attendrissent, elles se rappellent des morceaux de leurs rêves et de leurs angoisses. La coupe est pleine d'amour et de regrets, de blessures non refermées, de vies données, de vies perdues, de méchancetés et de bontés. Lorsque je regarde le corps minuscule de ma mère qui se perd au milieu de son lit, je peux comprendre la densité de la mémoire affective qui se trouve concentrée dans un aussi petit paquet. Elle est encore une enfant paniquée, apeurée, traversant en hiver le parc La Fontaine avec ses sœurs, les petites mains dans les petites mains, leur père leur ayant fermé sa porte et son cœur pour refaire sa vie.

Émilienne cultive sa surdité, ferme ses yeux pour mieux entendre, voilà une autre sourde qui entend tout, jusqu'à distinguer le moindre pli dans l'âme de son fils. Plus tu vis, plus tu vois les gens mourir autour de toi, jusqu'à ta fille, oui, jusqu'à tes enfants. Comble de la difficulté d'être et comble de la beauté du monde, elle reçoit souvent dans sa chambre ses arrière-petits-enfants qui vivent dans la même maison, juste dans les pièces d'à côté. Il n'est rien de plus beau qu'une enfant de deux ans grimpant sur les genoux frêles d'une femme de quatre-vingt-onze ans, qu'un petit garçon de trois ans qui essaie d'intéresser la vieille à ses petits jeux électroniques et à ses chevaliers sidéraux. Cependant, elle s'épuise vite, elle s'inquiète en anticipant pour elles et pour eux les souffrances que la vie leur réserve. « Dans quelle société vivront ces beaux enfants ? Regarde comme ils sont innocents ! Ils n'ont pas demandé à venir au monde, et voilà qu'ils devront l'affronter, cette maudite vie ! »

Personne ne veut pareille peine. Devoir partir, vouloir partir, et avoir peur de partir ! La fatigue de l'âme s'installe à demeure et les ombres s'élèvent jusqu'aux régions les plus lumineuses de l'être. Les vieux connaissent si bien la perte qu'ils se recroquevillent dans leur chaise, muets, afin de ne pas avoir à hurler leur désespoir devant l'immense dérision de l'existence. La vie est un affront dont personne n'a jamais su se protéger.

Un autre jour se lève. Émilienne passe du lit à sa chaise roulante. Au mur, sa photo, quand elle avait vingt ans. Parmi les effluves de Lanvin, elle attend la mort. Cela indispose fort les vivants.

Février 2011

De beaux mensonges

Au bout du conte

J'écrirais bien un jour un long essai sur la Menterie. Mais ce serait un conte, une histoire inventée de toutes les pièces que je pourrais ramasser sur le plancher de ma mémoire d'homme. Car j'ai tellement entendu d'histoires et je les ai tellement aimées. Le vrai, le faux, le supposé réel et l'irréel soupçonné, nous savons tous que bien des affaires se perdent dans les emportements de nos récits, mais nous savons tous que bien des affaires y gagnent aussi. Oui, ce jeu est à qui perd gagne. Nous sommes des têtes folles et merveilleuses, l'exaltation fut notre premier choix. Et ce que nous gagnons en exactitude, nous le perdons en poésie. Ce que nous gagnons en étonnement, nous le perdons en rectitude. Les légendes et les mythes furent jugés sévèrement par la Raison, notamment celle de l'Occident qui prend sa source chez les philosophes grecs, comme de raison. Socrate n'aimait pas la Nature. Ce grand citoyen citadin, marcheur de rues et amateur d'agoras ensoleillées, ce péripatéticien de toutes les clairières bien nettoyées, cet annonciateur précoce d'un monde totalement urbanisé et dé-naturé, n'avait cure des légendes et des mythes que les forêts ont toujours proposés.

Socrate n'eût prêté aucune attention aux dires et croyances des Amérindiens. Il aurait dit de ces légendes ce qu'il disait des mythologies des anciens Grecs : foutaises, enfantillages et brouillaminis de l'esprit. Car il avait son idée sur les Sauvages et les Monstres de la forêt. Ils sont pires que les Barbares, ces sombres habitants des forêts primitives. Tout ce qui vient d'eux est à combattre, notamment l'errance qui ne peut être qu'une erreur. Les Sauvages baignent dans l'oralité comme dans le mensonge, mais soyons magnanimes à leur égard car ils fabulent en toute innocence. Ce sont des enfants, mais des enfants sales et cruels. Le philosophe des philosophes de l'Occident marche à pied assurément. La démarche de Socrate s'appuie sur un monde qu'il piétine, c'est-à-dire domine et détruit. C'est le jardin païen, sa poésie, ses légendes et ses dires que le philosophe abhorre.

Donc, ce que Socrate saccage, c'est le monde de la Grèce d'origine, la païenne, la sauvage, car elle a existé, la Grèce forestière et débordante. Pour en arriver à un Apollon imberbe, finement musclé, parfumé, il a fallu raser les énergies premières d'une Nature prodigue en foisonnements divers, en types variés, là où les nains côtoyaient les géants, les farfadets se posaient sur des branches qui étaient les bras des arbres pourvus de jambes, monde féminin de la Nature, de la Poésie et de la Muse sauvage qui caresse et qui tue dans un même mouvement, monde d'Artémis, d'Astarté, de Dionysos.

Nous sommes des conteurs et des menteurs invétérés. Qui parle ment, dit un vieux proverbe slave. Les légendes, les contes, les histoires et les mythes n'opposent pas le vrai et le faux, ils ne prétendent pas à la vérité, pas plus qu'ils ne glorifient le mensonge. Le vrai et le faux sont pour le conte une polarité impertinente et stérile. Le conte sert la pensée pour autant que la pensée humaine ne se résume pas à raisonner. Le conte est beau, intéressant, émouvant, satisfaisant pour notre imaginaire et notre besoin de beauté. Il traite de nos plus vieilles peurs et de nos plus anciens défis. Car les guerres que nous menions dans nos têtes n'étaient pas celles du vrai ou du faux. C'étaient plutôt celles du fantastique, du merveilleux, de l'horrible et de l'horreur.

Il y a aussi une vérité, la vérité des thèmes humains qui reviennent et reviennent, des combinatoires et des combinaisons possibles, les bribes et les morceaux de nos vieux rêves archétypaux, les solutions des problèmes de la conscience collective. Les légendes traitent des rapports entre les hommes et les femmes, entre Nous et les Autres, entre les vivants et les morts, entre la peur et le courage, entre les animaux et les humains, entre la force bénéfique et la force maléfique, entre le sexe et la parenté, entre les jours et les nuits, entre la matière et l'esprit. Il en faut de la ruse, de l'intelligence, de la chance, de la foi, il en faut de l'inouï pour survivre à la vie, pour passer au travers de son destin. La légende sera la meilleure explication du monde, la référence des absolus, dans la beauté comme dans l'horreur, dans le tout et dans les détails, du poil blanc entre les oreilles d'un ours jusqu'à la couleur émouvante d'une petite fleur.

Les légendes amérindiennes relèvent des univers très ordinaires de la vie humaine. Se conter des histoires, en fabriquer, dire le monde, mimer les animaux, raconter la vie, penser la société, tout cela est humain, profondément humain. Il n'y a rien d'extraordinaire, en effet, à raconter la légende des géants, à s'inventer des amusants et des menaçants, des allants et des revenants, des constructeurs et des destructeurs, des braves et des méchants, des monstres et des fantômes. C'est normal de réfléchir à la Lune, au Soleil, au monde souterrain. L'héritage culturel des mythes et des légendes se retrouve dans toutes les sociétés de chasseurs-cueilleurs et d'agriculteurs des temps que l'on a dit anciens et traditionnels, que l'on a aussi dit sauvages et primitifs. Mais tout cela, c'est nous aussi.

Le Carcajou, le plus gros de tous les blaireaux du monde, le plus intelligent, le plus féroce et le plus fort, est l'animal de référence de très nombreuses cultures amérindiennes, des Lakotas-Sioux aux Algonquiens. C'est un joueur de tours, c'est-à-dire un jongleur qui détruit et reconstruit le monde. Il joue avec tout, détraque et ramanche, défait et refait, bricole, si bien que ses histoires expliquent tout ce qui nous entoure, de bien et de moins bien. Le Carcajou est plus fort que l'humain, il est plus ancien. Il a partie liée avec les esprits, il va de soi qu'il en est un.

La Femme qui crée et engendre le monde est aussi présente,

avec les frères ennemis, l'un bon, l'autre méchant, qui est le mythe de la genèse chez les Iroquoiens. Le méchant tuera le bon et le monde sera ce qu'il est, imparfait et dangereux. Ataentsic vaut bien Astarté, énergie primale qui enfante des hommes, femme originelle qui ne connaît ni le bien ni le mal, qui est une force vive et létale, dont les qualités seront détournées par l'incompétence de sa descendance, force pure (manitouesque) profanée par l'irresponsabilité des mandataires d'un pouvoir qu'elle a choisi pour s'occuper qui de l'eau, qui des saisons, qui de la couleur du ciel. Ces personnages seront brouillons, oublieux, malins. Les héros culturels vont de frasques en frasques en étant simplement au monde.

Plus au sud, Coyote joue le rôle de jongleur, celui réservé à Carcajou au nord. On confirme que la distraction et l'imprévoyance, l'amateurisme et l'étourderie de Coyote expliquent toutes les misères du monde. Car le Coyote est extrêmement brouillon. Il gâche tout ce que le Créateur a pu faire de bon à l'origine. Où l'on voit que les animaux ne sont pas de simples bêtes sauvages, mais plutôt des symboles en chair et en os de tout ce monde qui nous dépasse mais qui, en même temps, nous habite de part en part. De l'Aigle au Corbeau, du Saumon à l'Écureuil, du Jaguar au Serpent, de l'Ours au Carcajou, du Lynx au Geai, il n'est jusqu'à la Mouche qui ne soit invitée à la table des légendes.

Les Iroquoiens viennent du sud et dans leurs mythes de la Création, cette idée de gâchis revient souvent. Dans le monde idéal et parfait de l'origine (le paradis terrestre des Iroquoiens), les rivières coulaient dans les deux sens, si bien que l'on pouvait les descendre à l'aller comme au retour. Ce qui est une grande idée. Mais le joueur de tours a bousillé cette perfection seulement en y touchant. Depuis que le jongleur s'est mêlé des rivières, il faut ramer et remonter, c'est-à-dire en arracher. L'humain n'est pas en faute ni en cause. Ce sont des personnages mythiques qui se situent entre le Principe de tout et la vie de tous les jours, des médiums en quelque sorte, qui interviennent dans le plan des dieux.

Au sud toujours, et cela jusqu'au Mexique, la Femme et le Serpent débattent. C'est le Serpent qui tient à ce que les humains travaillent et peinent et suent. La Femme-mère serait plutôt du genre à donner tout cuit dans le bec tout le bien-être à sa portée. Mais le Serpent l'emporte, justement, et c'est lui qui fait que les humains doivent chasser, travailler et dépenser. Comment ne pas voir l'unité de nos regards humains ? Le serpent, si important chez les Amérindiens du sud, entretient des relations de compagnonnage avec la Femme originelle et c'est lui qui plaide pour un monde difficile qui sera le lot des Humains. Dans la vieille Europe païenne, le serpent introduit le désir et la jouissance entre les cuisses de la déesse Astarté. La femme et le serpent de la Bible ne feront pas autrement.

Une autre grande image humaine : celle du déluge ou plutôt celle de l'absence de terre. Les Amérindiens font partie du concert des archétypes humains.

Au début, il n'y avait que de l'eau. Il a bien fallu trouver des animaux pour plonger vers le fond afin de ramener à la surface un peu de terre. Beaucoup périrent noyés en tentant la chose. Mais finalement, il s'en trouve toujours un pour réussir, et voilà l'origine du monde, une toute petite île faite d'un minimum de boue ramenée du fond des abîmes liquides par un animal héroïque. Puis, par les moyens de la danse, de la marche et de la course, chacun des êtres vivants, des lièvres aux humains, a depuis toujours eu la charge d'agrandir le domaine puisque c'est en marchant la terre que la terre s'étend. Voilà pourquoi les lièvres sautillent nerveusement, voilà pourquoi le loup marche pendant dix ans, voilà pourquoi les humains sont capables de marcher si longtemps. Pour le nomade, marcher, c'est faire de la terre.

Les Innus ont leur homme-araignée, Tshakapesh, le garçon qui traîne une corde avec lui, toujours. Il se métamorphose, tantôt petit, tantôt fort et puissant. Il est décevant dans le sens de rusé, se montre faible devant les méchants et les malintentionnés mais les tue cruellement. Tshakapesh ira dans le soleil, là où les Écureuils abondent et où la lumière est merveilleuse, il prendra la Lune au collet, dans son filet dirait-on, il vivra moult aventures incroyables, se faisant avaler par un poisson, vengeant le meurtre de ses parents par un animal dont la description ressemble à celle d'un Mammouth, sorte de dragon de la taïga que notre petit bonhomme retrouve et tue.

À défaut de temps et d'espace, parce que ceci n'est pas ce bel essai sur la Menterie que j'écrirai un jour, j'abrège et ne dis rien ici du Windigo des Ojibway-Anishinabés, des Vagins mordants, des Géants cannibales, des roches ambulantes, des lièvres gros comme des ours, des arbres qui parlent et des dimensions cachées entre le temps et l'espace.

Les mythes et les légendes des Amérindiens sont plus que charmants ou exotiques. Ce sont des histoires merveilleuses et fantastiques. D'ailleurs, ne croyez jamais ces petits livres intéressants sur les contes et les légendes de qui que ce soit. Ce n'est jamais la vérité. Ce n'est jamais un mensonge. Les légendes sont de vieux témoignages, elles sortent de la bouche et de la mémoire des conteurs et conteuses qui n'arrêtent pas de relayer dans le temps et l'espace, au fil des générations et des pays, des histoires sans queue ni tête, le radotage universel de notre poésie originelle.

Mai 2008

Tous les chemins mènent en Oregon

Entre ce temps et l'autre temps, voici une marche continue, des lignes sur une carte, la somme de toutes les cicatrices, les histoires de l'histoire. Avons-nous assez eu l'humilité de la déroute, avons-nous assez vu la trace de la fuite ? La feuille de route de l'humanité est remplie de taches, de chimères, de sang, de sueur. Ce n'est pas une quête, ce n'est pas une mission, il n'y a jamais eu de plan. C'est un délire dans l'espace, une dérive aux mille aléas, mauvaises rencontres et chocs brutaux dont la somme a engendré le monde comme nous le connaissons aujourd'hui, regrettable.

Les *chemins de travers* sont les sentiers battus par ceux et celles qui n'ont pas su marcher au pas, préférant le penchant de l'âme à la droiture de la raison, ceux-là qui se sont habitués à marcher dans le fossé, à rouler dans le clos, pour l'avoir pris une fois pour toutes, le clos, n'essayant plus d'en sortir mais explorant plutôt ses possibilités, s'accoutumant à ramasser les richesses des bas-côtés, qui sont des rejets, bien entendu. Ces chemins font un pied de nez aux chemins de traverse. L'expression *chemin de travers* n'existe même pas, elle n'est pas française. Des auditeurs me le rappellent constamment, ils me corrigent et insistent pour souligner que le titre de mon émission de radio, *Les Chemins de travers,* devrait se dire « Les Chemins de traverse ». Et le pire, c'est qu'ils ont bien raison, ces auditeurs-correcteurs. Car cela n'existe pas, dans la langue prescrite, les chemins de travers.

Cependant, à quiconque espère retrouver les états d'âme

que notre mémoire n'arrête pas de tuer, je suggère d'emprunter *les chemins de travers.* Lorsque nous visons un point qui n'est nulle part, il est bon de prendre un chemin qui n'existe pas, une piste que même la langue ne parvient pas à suivre. Alors, ce sera au voyageur d'inventer, de nommer, de fabriquer les expressions : *côte Sans dessein, montagne des Gros Tétons, rivière Gros-Ventre, montagne Coupée, montagne au Dos brisé, la passe de la Femme tout nue, le lac de l'Homme noyé,* ce qu'ils sont beaux ces toponymes anciens le long du Missouri. *Cache la poudre, rivière à Deux Faces, rivière aux Roches jaunes, rivière Enragée, la Dangereuse, l'Ennuyante, la Platte* ou *la Sauteuse,* il ne serait pas venu à l'idée de ces marcheurs anonymes, qui savaient si bien dire les choses, d'appeler une baie Angoulême, une montagne Royale, une île Isabella ou un continent Nouvelle-Espagne. Ils n'avaient pas de *lettres de noblesse,* c'était des illettrés, des sans-titres. Qui va sans lettres parlera beaucoup : paroles poétiques des humbles silencieux, tout le contraire des prétentieux explorateurs qui *écrivaient* l'histoire en se donnant à l'avance le plus beau rôle, à plat ventre devant Dieu et les Rois.

Christophe Colomb n'est pas Gérard Depardieu jouant sur grand écran le rôle d'un immense important. Le vrai film sur Colomb n'a pas encore été tourné ; il serait triste à mourir. Le Grand Amiral était un fort petit homme. Colomb était peut-être juif, certains diraient un juif errant. Se trouvera-t-il encore une âme assez sombre pour reprocher à un juif d'avoir découvert l'Amérique ? D'autant que l'idée a longtemps circulé que les Indiens étaient une tribu perdue d'Israël.

Christophe Colomb était un marin médiocre, grand mythomane, grand parleur, menteur, peut-être le plus perdu des hommes de son temps, égaré dans sa tête, écarté dans ses voyages. Mais il nous a fallu fabriquer le héros à tout prix, à grands coups d'omissions. Il a fallu que nous mentions à notre tour, par le travers des épopées, pour ne pas découvrir le visage décevant de cette âme mesquine.

Isabelle de Castille l'a trouvé beau et séduisant. Elle s'est laissé convaincre par ce charisme, ce charme, cette éloquence.

Car il était beau, selon toute apparence. Il n'a pas découvert l'Amérique, cet homme petit, il a buté sur une terre que lui-même n'aura jamais reconnue. Il se peut que l'attitude d'Isabelle ait convaincu Ferdinand de León de tenter le tout pour le tout, trésor et or, et de laisser aller Colomb sur la mer des Ténèbres afin qu'il s'y perde à jamais, question d'éloigner pour de bon un rival. Mais personne n'avait prévu que celui qui est totalement perdu risque de finir par trouver.

L'histoire de Colomb n'est pas une belle histoire. C'est une histoire triste à mourir, à partir de sa vie personnelle jusqu'à ses conséquences universelles. Et les fêtes du 500e anniversaire de la « découverte de l'Amérique » auraient été cruelles et déplacées si nous avions eu le culot d'en célébrer la gloire. Le plat aurait été trop froid. L'Amérique n'a pas été découverte, elle a été tuée. Elle a été assassinée, torturée, violée.

Colomb était peut-être Génois, un Italien du temps où l'Italie n'existait pas encore. Bien des villes et des villages se prétendent le lieu de sa naissance. Moi, si j'étais né à Manche d'Épée, je ne voudrais pas que ma Chambre de commerce entre en lice pour dire que c'est à Manche d'Épée que Colomb est né. Pourquoi en effet une ville ou un village se chercherait-il une honte indicible pour mieux se mettre sur la carte ? Ne dites jamais la vérité, multipliez les leurres et les mensonges, comme ça, vous sèmerez la graine de la certitude.

Colomb, le mystère : sa jeunesse se perd dans le mensonge et dans les fables. Il mentait tellement. Comme Jacques Cartier, comme Verrazzano, comme Samuel de Champlain, ces hommes n'avaient pas de passé avant d'entrer dans l'espace de leur mythe.

Samuel de Champlain était-il huguenot ? Il n'est pas Saintongeois de Saintonge ? Les mauvaises langues rapportent qu'il agissait comme agent double, au service de l'Espagne pour mieux tromper l'Espagne, menteur, falsificateur, excellent géographe, magnifique stratège, pédophile.

Et Colomb, lui, était-il vraiment ce qu'il n'a pas dit qu'il était ? Les marins de Palos voient tout de suite que ce grand prétentieux ne connaissait rien à la mer, en tout cas pas assez pour inspirer le respect à ses pairs. Ils ne veulent pas s'enrôler pour un incompétent qui ne trouve rien de mieux à faire que de réquisitionner pour son compte le plus gros navire dans la rade, une grosse patache qui sera lente et branleuse, empêtrée dans les vagues durant toute la traversée. Mais à l'Amiral, il faut un gros navire ! Colomb est fou d'honneurs et maniaque d'insignes. Les titres sont les titres. N'oublions pas qu'il espère devenir aussi riche qu'un roi.

La *Santa Maria* ne s'appelait pas *Santa Maria.* C'est Colomb qui la rebaptise ainsi, elle qui portait le nom de *La Marigalante.* Les marins n'apprécient pas cet excès religieux qui est un accroc à la coutume maritime. En fait, ils voient en lui un homme dangereux parce qu'irresponsable. Il sonne faux aux yeux des vrais. Il faudra la participation de Martin Alonso Pinzon, un navigateur reconnu, un vrai, pour que les marins acceptent le défi de se lancer à l'aveugle sur la mer des Ténèbres.

C'est Pinzon qui a fait, fabriqué, protégé Colomb, c'est lui qui a mené la traversée (il en a financé la moitié), il a été le véritable navigateur à bord de *La Pinta,* le meilleur voilier de l'escadrille. Sur la grosse *Santa Maria,* Colomb méprisait ses marins, il les maltraitait, il multipliait les erreurs de navigation et les erreurs de jugement tout court, au point où l'équipage l'eût volontiers balancé par-dessus bord, n'eussent été les interventions crédibles, autoritaires, mais surtout répétées de Pinzon.

Baptista Bermejo, un marin basque, fut le premier homme à voir la terre d'Amérique, une île des Antilles. À bord de *La Pinta,* à deux heures du matin, il a lancé le cri de *Terre en vue.* Colomb avait promis une fortune en maravédis au premier homme à voir la terre. Mais Colomb dispute l'évidence, il prétend avoir vu la terre deux heures avant le marin de *La Pinta.* Il refuse de verser l'argent. Juste ce fait, ce simple fait, nous dit beaucoup sur l'homme. Christophe Colomb est un tricheur, un monstre d'égoïsme, un être absolument désagréable. Sa vie sera celle d'un raté : ses voyages, son destin, tout tournera à l'échec. Cet homme n'était pas d'*équerre*. Mais la somme de ses échecs fera l'épopée de la découverte de l'Amérique.

Martin Alonso Pinzon est mort, malade et épuisé, dès son retour en Espagne. Les vrais hommes dans cette affaire seront vite oubliés car ils n'auront pas droit au mythe. Colomb lui-même ne s'en tire pas vraiment de son vivant : déchu, il finit dans des dérives spirituelles et religieuses, amer peut-être, fou certainement. Mais les portes de l'Amérique étaient maintenant toutes grandes ouvertes. À partir de 1492, l'Espagne put lâcher ses chiens, au sens propre comme au sens figuré. Ce fut la curée. Une des plus grandes tragédies de l'histoire de l'humanité pouvait commencer. Et Colomb, mort dans la déchéance, pouvait devenir le grand Colomb de la légende.

Ne vous fiez pas aux êtres perdus. Ou plutôt fiez-vous-y. Nul ne sait droitement les chemins tortueux de l'histoire. Il est des croches qui ne se redressent pas. Au fil des siècles, les Espagnols feront moult avancées sur le vaste territoire devant eux, la Californie, le Colorado, le Mississippi, le Tanassee. Ils tueront et se feront tuer, partout ils chercheront de l'or. Coronado, De Soto, Narvaez, Pizarro, Cortez, Ponce de León, autant d'histoires d'horreurs, la sente de l'or, le fleuve de sang, de la tristesse, de la poussière, un film violent, le hoquètement d'un scénario qui se répète tout simplement. Mes canons et mes mousquets, mes microbes et mes virus, vous allez tous mourir, si vous ne nous tuez pas ! Nous sommes venus pour vous réduire, vous saisir, vous détruire !

Lors de son second voyage, Colomb ramènera des centaines et des centaines d'esclaves indiens arawaks ou cannibas en Espagne. Jamais de compassion, jamais de peine ni de regret pour ses propres hommes disparus, rien dans ce cœur froid qui nous indiquerait un brin d'humanité. Le fou sera fou jusqu'au bout. Dans sa tête, il se convainc que les Indiens feront de très bons esclaves, que les Espagnols iront jusqu'à la Cour impériale du Grand Khan et qu'alors, en prime, les catholiques de l'Occident pourront, avec l'aide des catholiques de Cathay (on croyait que les Chinois comptaient de nombreux chrétiens), charcuter les musulmans situés entre les deux mondes. Éradiquer les Arabes de la carte, quel projet !

Quiconque veut apprendre Colomb doit obligatoirement passer par la lecture de Las Casas. Où l'on verra l'origine du drame. Les explorateurs portugais s'étaient exercés dans les Canaries, quelques années avant la découverte de l'Amérique. Peu de temps après l'arrivée des Portugais dans les îles, les Canariens n'existaient plus, aucun n'avait survécu à l'effroyable cruauté des nouveaux arrivants. Las Casas commence d'ailleurs son long réquisitoire par cet exemple : le triste destin des Canariens, une population désarmée, pacifique, insulaire, massacrée et réduite en esclavage par les Portugais et les Espagnols dans le temps de le dire. Ce drame annonçait celui de l'Amérique.

Colomb était un homme perfide, un moderne dans tous les sens du terme. Il voulait devenir roi des Indes, riche comme le Grand Khan, puissant et immortel comme un dieu, au-dessus de la loi. Jamais il n'a pleuré sur le sort de quiconque, disions-nous, jamais il n'a même aperçu la douleur de l'autre. Fou de lui-même, capable de demander dix pour cent des richesses de tout un monde, incapable de se situer dans le temps comme dans l'espace, le personnage annonçait le futur composé du présent antérieur.

Oui, tous les chemins mènent en Oregon. C'est là que s'est finalement cousu le point final qui a suturé l'immense blessure de la triste histoire de l'Amérique. Le continent fut traversé de part en part, de l'est à l'ouest, du sud au nord. Les Clatsops et les Walla-Walla furent parmi les dernières sociétés américaines à périr dans la marmite des *premiers contacts.* C'était en 1805, lorsque l'expédition de Lewis et Clark atteignit le fleuve Columbia. Le Columbia, imaginez !

Le rideau allait se refermer sur ces misères innommables, sur l'indicible gâchis commencé en octobre 1492 sur la plage d'une petite île désarmée, peuplée par des Taïnos tout nus, trop innocents pour même *reconnaître le tranchant de nos épées,* et achevé à la fin du XIXe siècle alors que l'armée américaine terminait la campagne contre les Nez Percés du chef Joseph, dans l'État de Washington.

Meryweather Lewis fut un autre Colomb. Encore le triste mythe d'un homme qui aimait mieux son chien que les humains, le mythe scandaleux d'un individu qui méprisait les hommes mêmes qui lui permettaient de survivre, d'avancer et de réussir un voyage a posteriori décrété fantastique mais qui n'eût jamais réussi s'il avait été laissé aux seuls soins de Lewis. Comme Colomb, Lewis n'avait pas vraiment d'amis. Il n'avait aucune qualité particulière. C'était un mélancolique, un homme souffrant, sujet à de fréquentes attaques de désespoir. Il a su se poser comme la vedette de la légende Lewis-Clark avant de mettre fin à ses tristes jours quelques années plus tard. Mais lui aussi annonçait le présent, l'ennui de la personne universelle qui poursuit sa mission : tout unifier, tout aplanir, traverser les paradis sans les apercevoir pour mieux ensuite les marquer au rouge de son propre enfer.

Montréal s'enorgueillit peut-être d'avoir une rue qui porte le nom maudit d'Amherst, en mémoire douloureuse de ce criminel de guerre du XVIIIe siècle. Et je vais mourir avant que cette situation déplorable ne soit corrigée. Mais Montréal a aussi une rue nommée Christophe-Colomb. Personne ne s'en émeut, ni dans un sens ni dans l'autre. Comme quoi le déshonneur s'écrit au quotidien sur les petites plaques qui désignent les sombres couloirs de nos villes.

En attendant, que n'est-il pas un boulevard des Algonquins à Montréal, une rue du Borgne de l'Île, une place du Bâtard flamand ? Et pourquoi suis-je si triste en remontant le boulevard Pie-IX jusqu'à la rue Sherbrooke avant de m'arrêter à Saint-Zotique ? Quels cochons ai-je gardés avec un pape et qui était Zotique ? La mémoire des GPS me dira-t-elle un jour où se trouvent le boulevard des Écossais, l'autoroute des Voyageurs, la grande avenue des Métis, la station Assiniboine, et j'en passe, qui nous rappelleraient que Montréal rayonnait hier jusqu'en Athabasca et en Oregon ?

Les chemins de la mémoire sont tortueux. À choisir mes

mensonges, je retiens les plus fins : c'est Baptista Barmejo qui a découvert l'Amérique et c'est Pinzon qui a concrètement réalisé la première traversée de l'Atlantique, des Açores aux Barbades. C'est le basque Sebastian Del Cano qui fut le premier humain à faire le tour complet de la terre en pilotant le retour du *Vittoria,* Magellan s'étant fait tuer en Océanie. C'est Lussier qui fut le premier cultivateur de l'Oregon, originaire de la vallée du Saint-Laurent, coureur de bois retraité, médaillé des brigades des fourrures de la Hudson's Bay Company, qui faisait en canot et à pied l'aller-retour Montréal-Seattle sans cligner de l'œil ni écrire à sa mère. L'aventure espagnole en Amérique, c'est aussi Esteban, un Noir mahométan, originaire du Soudan, mais esclave en Égypte, capturé par les chrétiens espagnols en Méditerranée avant de rejoindre l'armada pour les Amériques, au service aveugle des conquistadores Pamphilo Narvaez et Coronado, explorateurs débridés, malheureux, Esteban qui survécut pendant une décennie dans des territoires inconnus, pieds nus entre Tallahassee et Santa Fe, passant pour un grand dieu noir aux yeux des Amérindiens, jusqu'à ce que ceux-ci, las de s'interroger, l'égorgent dans un pueblo zuni, pour avoir séduit des vierges et offensé un chef.

Oui, les chemins de l'histoire sont inextricables. Ils mènent partout, en sens unique, en sens contraire, à contresens. Christophe Colomb est certainement un personnage riche et mystérieux. Il tient sa place dans nos mémoires. Au chapitre de l'histoire universelle, il devrait apparaître sous la rubrique *Remarquables farfelus dont les folies ont désespéré le monde.* Il est épais, le livre qui fait l'éloge des plus vils. Il est cruel, le livre qui glorifie les marches sanglantes du passé.

Sur les chemins de travers, l'histoire s'éclaire d'une tout autre lumière : nous sommes à la merci des détraqués, et tout se résume bien souvent à trafiquer la feuille de route pour mieux nourrir la fable d'une humanité en marche.

Février 2007

Elles s'appelaient toutes Hirondelle

On May 29 of the year 1833, the steamboat Yellowstone, *captain Bernard Pratte, reached Fort Pierre on the West bank of the Missouri, three miles above the mouth of Teton River… and here came the halfbred Dorion, whose grandfather had briefly served Lewis and Clarke, whose father the Astorians had made famous, and whose brother was to excite the admiration of Francis Parkman.*

BERNARD DE VOTO

C'est le silence ou la musique. Je suis à lire autant de livres étonnants, des textes valeureux, utiles à ma tête, en apparence éclectiques mais cependant tous liés, apparentés au sein d'une histoire que je n'arriverai jamais à dire. J'écris aussi de la même manière, un peu ceci, un peu cela, tous les textes s'interpellant. C'est le *conte-redire* de Lévi-Strauss, ce vieux Lévi-Strauss justement, bientôt centenaire et toujours bien vivant. J'avais commencé il y a quelque temps à relire des passages de *Tristes tropiques*, ne serait-ce que pour ses qualités littéraires. Et me voilà dans *L'Homme nu* comme si de rien n'était. Livres lus il y a tant d'années, au temps des études et de ma jeunesse, livres entendus avec ma tête de vingt ans, redécouverts maintenant. Comme quoi, en ces affaires, il est normal de repasser sur son chemin plusieurs fois.

Ce ne sont pas les mythes en eux-mêmes, ni même les analyses pénétrantes des transformations et permutations, ni le sens maniaque des détails qui m'intéressent chez Lévi-Strauss. Ce sont plutôt sa synthèse, son regard et sa manière, son ethnographie aussi. L'Amérique du Nord de Lévi-Strauss, c'est le bassin du fleuve Columbia, le nord californien, l'Oregon, le sud et la côte de la Colombie-Britannique, le monde culturel et linguistique le plus richement éclaté que l'on puisse imaginer. Nous sommes au pays de John McGlaughlin, de Gabriel Franchère et ainsi de suite, qui poursuit et construit l'histoire dont personne ne parle parce qu'elle nous est invisible. Langues salishanes, wakashanes, pénutiennes, shahaptines, algonquiennes, hokans et sioux. Dans *L'Homme nu* défilent les peuples, les petits peuples, Têtes-Plates, Nez-Percés, Modoc, Klamath, Yurok, Karok, Chinook, Thomson, Cœur d'Alène, Snake-Shoshone, Assiniboine, Mandan, Pied-Noir, Arapaho, et ainsi de suite. Voilà aussi le monde de la Hudson's Bay Company, des Michel LaFramboise, Chrysologue Pambrun et Peter Skeene Ogden, les hommes de l'*empereur* de Fort Vancouver et d'Oregon City.

J'écris des chapitres sur les camionneurs au long cours, sur la libre-pensée sauvage. Et l'histoire me rattrape. Me voilà dans un texte de Le Goff, *Lévi-Strauss en Brocéliande,* sur l'origine des hiérarchies, mentales et institutionnelles, sur la métaphore militaire de l'arc dit *sauvage,* l'homme anarchique parce que désorganisé, le rustre des bois, l'homme sauvage qui est l'homme d'en face, celui qui deviendra celui d'en bas. Il faut dire aussi que j'ai relu récemment de bons passages de Bergson et de Bachelard, pensées riches que je relie toujours aux travaux de Robert Graves sur les fondements païens de la civilisation occidentale, par la poésie primale d'abord, par la mythologie grecque ensuite, qui n'est rien d'autre que le passage de la Déesse à Dieu, de la Femme-mère à l'Homme-père. Rien que cela.

Lévi-Strauss, si disert sur la musique et le roman, sur les mythes et les contes, est avare de commentaires sur la poésie. Il est étonnant que Graves et Lévi-Strauss, pourtant contemporains, n'aient pas dialogué, ni non plus Zumthor qui a tant réfléchi sur les fondements de l'oralité. Mais enfin, comme tout cela se rejoint…

Puis viennent mes *Remarquables oubliés,* qui m'ont bien occupé ces derniers mois. Faire de l'histoire à la radio, quel étonnement ! Je suis dans les explorations de Samuel Hearne, sorte de Radisson des années 1770, solitaire qui marche avec Matonabee et les siens, Chippewyans-Athapascans-Déné, de Fort Prince de Galles (Churchill) jusqu'à l'estuaire de la rivière Coppermine dans l'Arctique. Je pense à ma nouvelle liste de personnages, un axe nord-nord-ouest, Big Bear, Samuel Hearne, Émile Petitot, Albert Lacombe, Thompson et Mackenzie. En voilà six, déjà. J'entends refaire l'histoire de Francois-Xavier Aubry, pour avoir trouvé une nouvelle source. Et je ne dis rien de Madame Montour, de Marie de l'Incarnation. Dans le brouillard et les confins, les trois générations de Dorion, Toussaint Charbonneau, Jean-Baptiste Gervais, l'interprète L'Heureux, Chouteau, Leroux, Larpenteur, et ainsi de suite.

Je lis *Across the Wide Missouri* de Bernard De Voto, un gros ouvrage de référence. Tout y fait sens qui rejoint le nord-ouest et la Californie, Saint-Louis et le Missouri, les petits peuples de Lévi-Strauss, les voyageurs franco-canadiens et les métis et les compagnies de fourrures, la HBC, l'American Fur Company, la Pacific, la Rocky Mountain (Ashley), la Nord-Ouest de Montréal.

La fourrure et l'espace, les femmes et la liberté, les risques et la mort, l'intense vie de la frontière, en face de tous les autres, soi-même transformé, au confluent de toutes les cultures, entre le mythe et l'histoire, entre fortune et malheur, avec mères et enfants, toujours en mouvement, libre et enchaîné au destin de sa propre limite. Entre le potentat Norton qui gouverne Fort Prince de Galles en 1770 et le tsar de Fort Vancouver, McGlaughlin, en 1835, entre ces coureurs des bois, membres des brigades au long cours, ces ermites aussi et ces nombreux ensauvagés, et ces milliers d'Amérindiens dérivant vers le commerce des fourrures, souvent malades, souvent battus, mais toujours là, invisibles, parfois balayés par ce genre de lumière qui balaie des réalités enfouies sous des distances géographiques et culturelles considérables, je retrouve Mathieu Mestokosho, son discours sur la *Graisse,* proposition lévistraussienne, son discours sur la vie quotidienne, réponse aux silences des chroniqueurs des temps de la fourrure quant à ce que faisaient *les Indiens dans le bois.*

Il me faudrait écrire ce que je raconte, dis et *conte-redis* : cette autre histoire de l'Amérique, avec ses centaines de pays, de langues, avec ses gens et ses déceptions, ses rêves et ses chimères, le petit chemin des trahisons, le crépuscule et la chronique d'une indicible catastrophe et d'un puissant *cover-up.* Cela commence avec la première Amérique, celle du degré zéro de l'histoire officielle, celle de ces centaines de petits peuples, puis on s'en doute, les dénonciations de Las Casas et les aveux de Bernal Diaz del Castillo, un regard nouveau sur le mythe de la découverte, sur Colomb, une tristesse, et tout le reste. Jusqu'aux cow-boys, camionneurs dans l'âme et Indiens de nos jours. Lire, écrire, dire, redire, où sont ces mois et ces mois et ces mois où je pourrais… sans distraction ? Ce camionneur qui m'écrit du Texas et qui écoute mes émissions radiophoniques par radio satellite : « Je suis un camionneur et je suis avec intérêt vos histoires de routes, vos histoires tout court, celle de François-Xavier Aubry, l'ancêtre des convoyeurs, je sais la route de Santa Fe, la route de l'Oregon, la route de la Californie, Minnesota-Montréal, même combat. »

Les chemins de traverse sont vraiment des *chemins de travers,* bas-côtés, fossés, sentes, *de travers dans le chemin.* Passages, tout est dans le passage. Les camionneurs sont des passeurs. C'est qu'ils camionnaient beaucoup, les anciens, les gens d'hier, les Indiens et les autres, ceux-là mêmes qui ne connaissaient pas la roue. Ils marchaient, raquettaient, canotaient avant de chevaucher et de muleter. Les Indiens passaient et passaient. Ils allaient aux frontières, les traversaient, aller-retour incessant, aux grandes rencontres et aux grandes solitudes.

Et je dirais comme le vieux Lévi-Strauss, l'Amérique amérindienne avait un mythe, les dénicheurs d'oiseaux, l'homme enceint, la femme jalouse, cet homme nu qui grimpe et reste piégé dans l'arbre dont le faîte se perd dans le ciel, l'Amérique n'a qu'une histoire, celle du bouillon de ses cultures, métis, sang-mêlé, frontières traversées, traverses et travers, travestissements jamais enregistrés, trahis, gommés par des histoires nationales mensongères, histoires pauvres parce qu'elles ne savent pas lire la vie, ni les contes, parce qu'elles ne veulent résolument rien dire. Grandes tragédies, crimes parfaits dans le silence, pièges à ours devenus pièges tout court.

Matonabee, le Chippewyan, guidait Samuel Hearne dans son incroyable expédition dans les Territoires du Nord-Ouest, au nord du pays des Couteaux-Jaunes, au nord aussi du pays des Plats-Côtés-de-Chiens. En 1770, Matonabee était connu de tous à travers un territoire immense. Sans lui, Hearne ne serait jamais revenu et personne au monde n'aurait retrouvé sa dépouille. Les Indiens tenaient l'Anglais en vie. Ils ont tenu l'histoire à bout de bras. Matonabee avait huit épouses, elles s'appelaient toutes Hirondelle.

Dans trois jours, ma prochaine émission de radio porte sur la mort, justement. Pourquoi ai-je lu deux fois le gros volume de Vladimir Jankélévitch sur le sujet ? Simplement intitulé *La Mort,* l'interminable texte commence par cette phrase : « Là-dessus, il n'y a rien à dire. » Pourquoi moi-même ai-je tant dit, tant écrit sur la mort ? C'est l'étonnement, je crois. Le trésor se trouvera toujours dans la vallée lointaine du *nous n'en savons rien.* Toutes nos terres sont *incognitæ,* comme la mort bien simplement, comme la mise à mort de notre mémoire.

J'étais seul l'autre soir dans ma maison à Huberdeau, autant dire dans le bois, entre coyotes et mésanges. Je lisais un vieux livre comme autrefois les vieux consultaient les grimoires, c'est-à-dire sans hâte, avec respect, dans le plus grand des calmes. Je lisais le *Journal* d'Henry Marie Brackenridge. En 1811, ce jeune Américain originaire de Pittsburgh, mais élevé à La Nouvelle-Orléans, ce qui fait qu'il parlait le français et l'espagnol mieux que l'anglais, se trouvait à Saint-Louis dans le but d'entreprendre un voyage sur le Missouri avec une brigade des fourrures, celle de Manuel Lisa. Ils quittèrent Saint-Louis vers l'ouest en espérant rattraper l'expédition de Hunt, l'Astorien. On sait que Pierre Dorion, accompagné de sa femme Marie l'Ayuwa, guidait les gens d'Astor. Mais Brackenridge rapporte ce fait extraordinaire et ignoré : le guide de Manuel Lisa n'était nul autre que Toussaint Charbonneau, accompagné de sa femme, Sacajewa. Il faut lire un vieux livre rare, un auteur oublié, il faut lire ce que personne ne lit plus et ne lira jamais pour découvrir pareille affaire. Ma tête est à Pierre, au Dakota, sur la rivière Coppermine aux confins de la taïga, au Labrador innu, dans la Saskatchewan métisse, à Willow Bunch, et l'on me demande si j'ai lu le dernier essai de BHL sur l'Amérique ! C'est l'étonnement, encore. Où prendrais-je le temps de lire BHL, je vous le demande, quand je n'ai même pas terminé la lecture de la vie de Tomachichi, ce chef Choctaw de Tannassee, à la vie si riche, venu à Québec avant la Conquête pour offrir ses services militaires aux Français ?

Et ce rapport d'impôts oublié, caché entre deux livres rares et anciens, un oubli habité de soucis, qui me distrait, malfaisant.

Mai 2006

La vie heureuse de Pancho Villa

Nous ne voulons plus rien savoir du monde. Peut-être l'avons-nous trop arpenté. Serions-nous assommés par l'incroyable inventaire de nos divertissements ? La consommation du présent s'avère si séduisante qu'il est devenu tout à fait insupportable d'attendre quoi que ce soit. Il faut que la vitesse soit haute, autant que la lumière, ce qui compresse l'espace au point de l'aplatir. Ce faisant, le temps disparaît, la terre suit dans son sillage. Le monde, en effet, ce n'est rien d'autre que du temps, des montagnes d'histoires empilées, des sédiments de vies humaines, des couches et des couches de rêves brisés, de maisons écroulées, de cités englouties. Mais nous ne voulons rien savoir du temps, de l'histoire, des passages, des obstacles, des murs. Il en va des nations comme des personnes : le vieux est hors sujet, le passé est inutile et « l'instant même » est tout ce qu'il nous reste.

Le grand obstacle est aboli. Nous n'allons ni vieillir ni mourir, nous allons rester jeunes, voilà les tables du nouveau testament. Le présent éclaire le passé qui, lui, n'a plus d'avenir.

Ce monde sans odeur ni couleur, ce monde sans tache ni délai nous propose avec insistance des courses sans obstacles. Il faut que trancher son oignon se fasse sans pleurer. Les dégâts se ramassent au chiffon magique. Les octogénaires sont souriants, alertes et entraînés, ils attendent confiants que les cellules souches viennent les refaire à la pièce. Les vieux n'ont plus peur de glisser en prenant leur bain. D'ailleurs, les vieux ne sont plus des vieux. La souffrance est une affaire démodée. Et nous allons ainsi, sans rire, poussant notre panier roulant, immense et métallique, en traversant un stationnement encombré d'automobiles, vers l'entrée d'un Costco, juste à côté de l'agence de voyage qui nous organise des séjours de rêve à Punta Cana. Facile d'accès, c'est juste à côté de Golf Town, vous voyez. La fin de semaine de magasinage est la fin de l'histoire, une longue phrase superficielle dont plus personne ne se soucie de la grammaire. Le Canada pourrait être rebaptisé *Canadian Tire* que personne ne le remarquerait.

Nos cartes géographiques sont essentiellement touristiques et notre vision du monde est journalistique. Chacun connaît son Mexique, à travers des sites mythiques de farniente, de repos, d'hôtels, de soleil, de plage. Les plus perspicaces d'entre nous pousseront l'intérêt jusqu'aux trésors précolombiens ; il n'y a rien comme une pyramide pour vous remonter la cote d'un site. La nouvelle carte mondiale est une carte de crédit, nous voulons tous nous payer une dose de « dé-pays », cela est en somme un forfait. Chacun sait que le monde souffre, par la guerre, les horreurs, les catastrophes naturelles et la pauvreté scandaleuse. Les chefs d'antenne se pressent sur les lieux des drames afin que nous ayons le sentiment de nous rapprocher de la souffrance. Il faut bien que diffuseur diffuse. Nous sommes devenus les globe-trotters d'une terre achalandée, les nouveaux explorateurs d'un monde archi-connu. Oui, chacun est la vedette de son propre cliché, sur fond de photos et de vidéos. Nous sommes les légendes instantanées d'un grand album Internet qui nous permet de montrer notre face à l'écran. Nous faisons la file au pied du Kilimandjaro et des allers-retours en Thaïlande, sans autre effort que le transport de nos valises dans les corridors de l'aéroport. Mais où s'en vont les reportages personnels, les twitters, les « chats », les Facebook de nos tribulations modernes, les milliards de photos numériques de nous-mêmes ? Nous sommes devenus des petits « moi » chronophobes rebondissant en jet aux quatre coins de la planète. Mais que savons-nous du sol que nous foulons ? Nous souvenons-nous qu'il n'est qu'un seul voyage, celui de notre vie, et que ce voyage-là n'est pas une partie de plaisir, surtout vers la fin ?

En 1900, quelque part dans le pays de Durango, vivait un jeune homme fort curieux nommé Doroteo Arango Arambula. Il avait vingt-quatre ans et il ne savait pas écrire. Il n'avait pas fréquenté une école militaire de prestige, il n'avait pas assisté aux séminaires des grandes écoles de gestion, et ses manières laissaient à désirer. Les mauvaises langues rapportent même qu'il parlait un très mauvais espagnol. Autrement dit, c'était un pauvre bougre, un pauvre tout court, inculte et ignorant, voué à rien du tout. Il ne savait du monde que son injustice, sa dureté, lui, le fils du désert du nord du Mexique, une sorte de nomade, heureux avec les mules et les chevaux, heureux aussi de faire la fête et de courir les femmes. Cependant, pour ne rien arranger, il avait tué un homme, un riche propriétaire terrien qui s'était pris de désir pour sa sœur, une très belle fille. Les fleurs du désert ne sont-elles pas les plus belles ? Puisque le propriétaire se croyait tout permis, comme cela arrive dans les sociétés de pouvoir, il essaya d'enlever de force la jeune beauté qui résistait à ses avances grotesques. Voyant cela, pour résoudre l'affaire, Doroteo crut bon de simplement lui faire sauter la cervelle. Il était comme ça, Doroteo. Il ne croyait qu'en la justice du revolver. Un vrai film d'Hollywood.

Le meurtre d'un riche par un pauvre n'est jamais une mince affaire. Doroteo devint fugitif, n'ayant d'autre choix que de se faire bandit. C'est alors qu'il changea son nom, prenant celui d'une légende locale, un desperado mort depuis longtemps, Francisco Villa. L'ancien criminel ressuscita dans le nouveau destin de Doroteo. Car les gens ne pouvaient pas ignorer le caractère extraordinaire de cet homme qui prenait un malin plaisir à terroriser et à détrousser les *hacendados*, c'est-à-dire les riches. Un bandit, certes, mais un bandit qui faisait l'admiration des pauvres de la région. Lorsque la révolution mexicaine éclata en 1910, Francisco avait trente-quatre ans et il avait toujours échappé à ses poursuivants. De gibier en cavale, il devint chef guérillero et monta une bande révolutionnaire. Alors que

Francisco Madero prenait le pouvoir à Mexico en 1911, Villa soulevait les pauvres du Nord en accord avec le nouveau régime.

Sa petite bande devint une grosse bande, la bande devint une véritable armée. Francisco Villa fascinait tellement les gens que des milliers de paysans se joignirent à lui. Au fil extraordinairement tordu des développements de la révolution, il eut à mener des campagnes cruciales contre l'armée fédérale du Mexique, multipliant les affrontements et les grandes batailles. Sa *Division del Norte* devint une sorte de mythe national, voire international, l'invincible armée de Francisco Villa. Le petit bandit local était devenu un général, qui plus est, un général de génie. C'est lui qui défit les forces du dictateur Victoriano Huerta, l'assassin de Madero, ouvrant la voie à Venustiano Carranza qui exerça la présidence. Mais Carranza, en toute ingratitude, en toute crainte surtout, en vint à se méfier de Villa et de ses guerilleros. Villa s'allia alors à son alter ego du sud, qui comme lui allait devenir un mythe, Emiliano Zapata.

Francisco Villa était un guerrier extraordinaire. Il n'était jamais là où on l'attendait, attaquant ce qu'il devait éviter, évitant ce qu'il devait attaquer. À cheval ou en chemin de fer, il déplaçait ses milliers d'hommes à des vitesses inouïes. Le président révolutionnaire Carranza dépêcha le général Obregon pour maîtriser la bête fauve. Car Villa allait sans projet ni idéologie. Il faisait avec sa grosse armée ce qu'il faisait tout seul jadis : terroriser les riches et les puissants. C'était l'homme de la vengeance aveugle. À la table des politiques, Villa devenait insupportable, tout comme le très pur Zapata, qui croyait sincèrement aux droits des paysans et des Indiens. Zapata se battait pour la terre et la liberté, des détails qui ne nous intéressent plus aujourd'hui. Internet haute vitesse, cinéma maison, écran plat, vacances, confort, condo et autres patentes plaisantes s'accordent mal avec les rêves de Zapata. La technologie et la consommation englobent à présent toutes nos aliénations et nos désaffectations.

Villa fut finalement battu par le général Obregon, il fallait bien que le pouvoir maîtrise la bête fauve. Mais nul n'a pu enrayer la machine à mythes. Francisco Villa savait tout de l'effet de sa propre saga. Le général de génie qui n'avait jamais été à l'école militaire, le vachero ignorant qui n'avait fréquenté ni les écoles de gestion ni les écoles de relations publiques connaissait bien les pouvoirs de l'image. Il avait vendu les droits de sa personne à des producteurs d'Hollywood et des équipes de tournage américaines filmaient en direct les exploits de sa célèbre Division du Nord. On rapporte même qu'il s'arrangeait pour porter ses attaques dans le bon angle du soleil afin de ne pas nuire à l'œil de la caméra. Villa en savait un bout en matière d'éclairage.

Battu par son gouvernement, il redevint bandit, attaqua des trains, tua des Américains innocents, pénétra au Nouveau-Mexique, tuant encore des Américains, reprit la fuite au Sonora où le général Pershing le poursuivit en vain pendant quatre ans. Finalement, il déposa les armes et accepta une offre de pardon gouvernemental avant de se retirer dans un ranch de la province de Chihuahua. Il avait quarante-cinq ans et promettait de se tenir tranquille. Sa retraite ne dura pas des lunes puisque trois ans plus tard, le nouveau président du Mexique, le général Obregon, le vainqueur de Villa sur le terrain, inquiet de la notoriété du personnage, le fit tout simplement assassiner, endeuillant du coup sa femme légitime, ses vingt-sept maîtresses et une armée d'enfants.

En quarante-huit ans de vie, le petit pauvre de Durango n'avait pas perdu son temps. Au terme d'une pareille saga, mille questions se posent. Francisco Villa avait-il suivi des cours de préparation à la retraite ? Songeait-il, dans son ranch, à la valeur de son fonds de pension, dans le contexte de l'augmentation spectaculaire de l'espérance de vie ? Consultait-il régulièrement son médecin afin de vérifier son taux de cholestérol ? Et surtout, comptait-il sur les services d'un psychologue pour calmer ses angoisses et mieux faire face à ses démons ? Par ailleurs, quel médecin aurait consenti à lui vérifier la prostate ?

Une chose est sûre, Francisco Villa n'a pas vieilli. Par la

conscience de son image, cet homme était on ne peut plus moderne. Il se voyait lui-même dans le miroir de toutes les pellicules. Cependant, il appartenait à un autre monde, très réel celui-là, de la résolution face à la mort. Pour ne pas vieillir, il faut mourir avant son propre vieillissement, sans s'étonner du passage rapide et du train des affaires ; dans le cas contraire, qui donc se surprendra du déclin de son corps ?

Le Mexique n'est pas une terre de tout repos, voilà le paradoxe. D'ailleurs, la vie n'est pas un sport tranquille. Notre chronophobie tient à ce simple principe : nous en sommes venus à croire que le passage est facile. Toutes les difficultés reliées au temps et à l'espace s'abolissent, nous ne sommes là que pour le plaisir. Jouer au golf, se faire bronzer, dormir dans un hôtel cinq étoiles, manger des langoustines, suivre les directives d'un animateur jovialiste, plonger sous l'eau des lagunes turquoise, cela n'est pas très difficile. Mais voilà ce qui nous intéresse. Pancho Villa est lui aussi devenu un produit de consommation, un personnage de scénario. Le film est bon, le film est d'abord une histoire et l'histoire de Villa est étonnante. Le révolutionnaire était un grand acteur, finalement.

Pancho Villa ne savait pas écrire, mais il a somme toute beaucoup écrit. *De la difficulté d'être Mexicain, De la dureté des choses, Tout ça pour ça, Le soleil n'est pas un gage de bonheur,* autant de chefs-d'œuvre qu'il aurait pu dicter.

Pancho Villa est passé au folklore de toutes les Couca Racha du monde, large sombrero, cordon de balles en bandoulière. Vivent le Mexique, sa musique, son soleil !

En perdant la mémoire, nous avons perdu le fil du temps. La mémoire est dans la *time machine* de nos ordinateurs personnels. L'histoire est un tissu d'obstacles. Nous frapperons toujours les murs que nous croyons pouvoir ignorer. Cela arrive de vieillir, cela arrive de mourir. Mais, dans l'instant qui nous occupe, le temps est annulé.

Février 2010

Pardon à Détroit

Jeune, j'avais des rêves, j'avais l'appétit plus grand que la panse, l'énergie, la naïveté de celui qui n'attend que le signal du départ pour aller courir les routes de son imaginaire. Certains de ces rêves sont devenus des réalités, ce qui, déjà, n'est pas rien. J'écris, je parle, je cherche. Certains n'étaient pas assez sérieux pour survivre au passage des années. D'autres me tiennent encore au cœur et à l'esprit, même s'il n'est plus question de les réaliser. Parmi eux, celui de devenir le gardien de but de l'équipe des Red Wings de Détroit. Je ne serai jamais au temple de la renommée du hockey avec mon beau gilet rouge, le logo des Red Wings bien en vue. En ces domaines, l'occasion passe rapidement, le temps de jouer ne dure que l'espace d'une courte jeunesse. Cependant, encore aujourd'hui, lorsque j'aperçois l'équipe de Détroit à la télévision, je ne peux m'empêcher de ressentir un petit pincement de nostalgie.

Nous avons tous des villes à cœur, allez savoir pourquoi, des images et des mythes, des souvenirs, des habitudes. Telle une toile où se nouent les lignes de nos penchants, une carte existe dans chacune de nos têtes, une carte aussi fausse qu'intime, qui enjolive et déforme au gré de nos fantaisies, une liste qui classe, incluant, excluant, béatifiant à outrance, disqualifiant injustement. Beaucoup aiment Paris sans condition, la plaçant en tête des villes du monde, sans réfléchir une seconde, juste par habitude. D'autres fantasment sur des noms et des images, cartes postales achevées, villes chouchoutes comme Venise, Barcelone, Prague, Rome. Nous pardonnons tout à un nom prestigieux, nous reniflons les effluves des formules magiques : je m'en vais à Shanghaï, je reviens de Bangkok. Les villes du monde affichent leur nom, elles cultivent une image, toute l'affaire se résume à un immense concours dont nul ne maîtrise les règles, dont nul ne connaît les juges.

À ce jeu, Détroit tient une grande place dans mon esprit. Personne ne me comprend, personne ne veut entendre, quelle est cette idée de rêver à Détroit ? Pourtant, cela m'arrive. J'y songe et j'y pense, je voudrais l'oublier que je la retrouve au hasard de mes lectures en histoire, elle est toujours sur ma route, dans mon champ de vision, impossible d'y échapper, je ne peux pas la contourner, elle est là, au pied du Michigan, aux portes de la route de Chicago, autant dire de Saint-Louis. Elle fait partie de mon histoire autant que de l'Histoire, une ville « dangereuse » dont le pouvoir d'attraction est insidieux. Détroit se classe première au palmarès de ma tête folle et il est clair que je me dois quelques explications.

Réfléchir à Détroit n'est pas une mince affaire. « Prendre pour Détroit » n'a pas beaucoup de sens. Lorsque nous refaisons l'Amérique dans nos têtes, l'universitaire pense à Boston, l'artiste à New York, le politicien à Washington, l'actrice à Los Angeles, l'esthète à San Francisco, l'historien à Philadelphie. Nous imaginons Las Vegas pour le spectacle dans le désert, Phœnix pour la chaleur et pour la santé de nos poumons. Mais qui songe à des villes comme Pittsburgh ou Détroit ? Qui sait qu'il est là, le nœud du mystère, le passage de la pensée productive, le chemin du cheminement, la place forte ? Détroit, disais-je, demande des explications, je crois même qu'elle demande des excuses. La ville est en souffrance, elle est pauvre et perdante, comme si les dieux l'avaient maudite, comme si le sort l'avait lâchée. Hier encore, elle se classait quatrième au palmarès des plus grandes villes américaines. Elle était la fierté de la culture automobile, la Cadillac du circuit. C'était le Vatican de l'auto-mobilité, la ville-piston, la dimension chromée des paysages imaginaires américains. Et puis soudain, voilà la ville coupable, la ville martyre, celle que l'on quitte, que l'on oublie, la ville-punition qui crève dans son recoin sans que personne ne regrette sa misère, le pauvre bouc émissaire de la faillite de l'industrie américaine.

Je ne sais pas pourquoi Détroit me rattrape ainsi au détour. Il y a quelques mois, je roulais dans son centre-ville, je marchais sur sa place centrale, juste au bord de l'eau, à l'ombre de ses gratte-ciels, comme au cœur d'une tempête apaisée, comme sur les lieux d'une fête terminée, au lendemain d'une danse interrompue, espace triste, calme, désaffecté. Et je me disais combien l'histoire est curieuse. Voilà une ville qui avait tout, voilà une ville qui n'a plus rien, sinon la force de tenir, de survivre et de recommencer. La ville où le destin de l'Amérique s'est joué à répétition. Détroit fut officiellement fondée en 1701, par un opportuniste français du nom de François Laumet. Mais comme Laumet faisait trop simple et que ce genre d'individu ne vivait que pour l'argent, le pouvoir et la particule, il adopta le nom pompeux de Lamothe Cadillac. C'était un ami personnel de Frontenac, un membre de la coterie du commerce des fourrures et des fortunes vite acquises dans une colonie où devenir riche était l'obsession d'aristocrates souvent déchus dans leur France natale, exilés en Amérique pour se refaire un nom, ou s'en inventer un, comme ce fut le cas de Cadillac.

À l'origine, Détroit est un projet de Québec. Curieuse association, ne serait-ce que par les noms : Québec serait un vieux mot algonquin signifiant « détroit », justement. Québec aurait voulu créer son double qu'elle n'aurait pas agi autrement ; en vérité, le projet de Cadillac était de fonder une deuxième Nouvelle-France, au-delà du lac Ontario, aux confins du lac Michigan, à la tête de l'Ohio, aux portes du pays des Illinois, à portée du puissant Mississippi. L'ambition dépassait celle d'un poste de traite ou d'un fort. Cadillac avait en tête un nouveau pays, le sien, un empire quasiment privé au cœur de l'Amérique. Plus que des aventuriers, ce sont des familles et des colons que Cadillac conduisit sur place. Des Canadiens et des Français, dont on retrouve les noms sur le monument consacré aux fondateurs, au bord de l'eau, à l'ombre des gratte-ciels du Détroit d'aujourd'hui : souvenons-nous des Janis de Trois-Rivières, des Cuillerier, des Langlade, mais aussi des Ladéroute et des Ladébauche. Des noms métis ou canadiens, que l'on retrouvera plus tard au Wisconsin, en Illinois, au Missouri, jusqu'au Colorado.

Isabelle Montour, la magnifique métisse de Trois-Rivières, brisera bien des cœurs à Détroit, au temps de Cadillac. Elle brisera aussi bien des complots, car elle faisait de la politique. Parmi ses victimes, Cadillac lui-même. Il est probable qu'il désirait cette femme et, à défaut de la posséder, il la fit jeter en prison. Elle lui préférait les soldats et les beaux Ojibways ; indépendante et féroce, elle était bien plus fascinante que le « monde perruqué » qui reluquait l'Amérique comme on reluque un bien privé. Isabelle Montour sera interprète et espionne, allant de Français en Canadiens, et d'Indiens en Métis, défendant les intérêts des siens contre les gens de pouvoir. Elle verra se construire le fort de Détroit, se défricher les champs aux alentours, elle connaîtra les Wendats-Hurons, victimes des Iroquois, venus se réfugier de l'autre côté de la rivière Sainte-Claire, répétition de leur regroupement à Québec un demi-siècle auparavant. Pendant longtemps, Détroit aura comme Québec ses Hurons sous la main, mercenaires fidèles dans le bras de fer entre Français et Anglais. Comme Cadillac voulait la prospérité de son Détroit au détriment du poste de la Grande Tortue, Michillimakinak, il attira autour de sa colonie les Chippewas, les Renards, les Ottawas et bien d'autres nations amérindiennes. À la fin, Isabelle, la diplomate et l'intrigante, fera le pont entre tous ces gens ; ses amours et ses actions auraient pu alimenter une légende superbe. Mais elle sera plutôt oubliée dans la mémoire des lieux, ainsi que Cadillac, qui passera à l'histoire comme la marque de la voiture trônant au sommet de la pyramide automobile. Posséder une Cadillac, du temps de mon père, était la réalisation du rêve ultime.

Puis vint Pontiac. Avant de devenir une automobile, à l'instar de Cadillac ou de Lincoln, Pontiac fut un grand personnage historique. C'était un chef de la nation Ottawa farouchement opposé à l'expansion britannique au-delà des Appalaches. Il était présent à Pittsburgh lorsque les Amérindiens aidés de quelques Français anéantirent l'armée du général Braddock en 1755. Huit ans plus tard, sous l'inspiration du prophète Neolin, d'origine loup delaware (aussi dit Leni-Lenape), qui prêchait la réunion de tous les peuples autochtones d'Amérique contre un seul ennemi commun, Pontiac réunira une internationale de guerriers amérindiens afin de reprendre aux Anglais tous les postes français tombés sous leur gouverne après la capitulation de Montréal. Pontiac réussira partout sauf à Détroit, où il se butera aux murs du fort. L'Histoire eût suivi un autre cours si Pontiac avait pris Détroit, mais cela ne s'est pas trouvé. Versailles n'a jamais pris le héros ottawa au sérieux. De tergiversations en abandons, au fil de ses désintérêts et trahisons, la France baissera les bras et l'Amérique française s'évanouira en même temps que l'amérindienne. Car Paris ne voyait pas l'importance de Détroit, en 1763, et ses politiques n'avaient plus aucun égard pour les alliances avec les Sauvages. Le parfum ridicule des beaux parleurs et les perruques poudrées des aristocrates refusaient de s'encanailler ; il fallait rompre avec le musc de castor des métis ensauvagés. Le maquillage qui blanchissait à outrance la peau des précieux Français de Paris ne se reconnaissait pas dans les peintures de guerre et les tatouages de leurs fidèles alliés amérindiens, ou dans la peau foncée et burinée des Canadiens. Les Lumières n'étaient pas attirées par ce Grand Désert, par cette Amérique obscure, une Amérique trop froide, trop sauvage, trop vaste au goût de Voltaire. Ils reviendront en retard, les Lafayette et les Tocqueville, ils reviendront après les faits, constater le succès américain, oubliant le rôle navrant de la France dans ce gros dossier qui ne lui fera jamais honneur.

Après l'échec de Pontiac aux portes de Détroit, le miroir de Québec était brisé. Les grandes alliances franco-amérindiennes, héritage d'un siècle et demi de voyages et de diplomatie éreintante, s'effondraient. Le deuil fut porté par une foule d'anonymes qui résistèrent envers et contre tout. Pendant des années, Détroit fut le passage des aventuriers canadiens qui refusaient la baguette britannique. Ils s'installaient au Michigan, ils s'en allaient au Wisconsin, au Minnesota, en Illinois, en Ohio, jusqu'au Missouri, à la rencontre des gens de Mobile et de La Nouvelle-Orléans. Milwaukee, Chicago, Saint-Louis, Saint-Paul, Kansas City, jusqu'à Santa Fe, jusqu'au Grand Lac Salé : autant de lieux fondés, fréquentés, habités par nos ancêtres qui s'y croyaient chez eux. La plupart se sont métissés, épousant des Lakotas, des Illinoises, des Algonquiennes de toutes nations. Mais cette saga passionnante fut et demeure parfaitement oubliée.

Détroit revint à l'avant de la grande scène de l'Histoire lors de la guerre de 1812-1815 entre les Américains et les Britanniques. Un autre grand personnage amérindien fit son apparition, Tecumseh, l'Étoile filante. Avant de devenir la marque commerciale d'un petit moteur à piston (un moteur à deux temps), ce rebelle magnifique, d'origine shawnee, tenta l'impossible. Lui aussi s'appuya sur la voix d'un prophète, et le message était toujours le même, la triste complainte des peuples qui ne veulent pas mourir. Tecumseh fit de nombreux discours historiques (c'était un orateur remarquable) et voua sa vie au mouvement pan-indianiste. Unissons-nous, toutes nations amérindiennes confondues, et combattons les Américains avides de terres, défendons nos modes de vie, créons un grand pays amérindien aux côtés des États-Unis et du Canada britannique. Pour cette grande idée, Tecumseh prit les armes, réunit une force amérindienne multinationale, s'allia aux Britanniques et combattit l'armée américaine dans la région de Détroit. C'est d'ailleurs à Détroit même qu'il avait choisi de faire la résistance finale. N'eût été de l'incurie et de l'incompétence du général britannique qui ordonna la retraite à l'intérieur du Haut-Canada, l'Histoire, oui, l'Histoire encore, eût suivi un autre cours.

À Détroit mourut le dernier espoir des Premières Nations d'Amérique. Après la mort de Tecumseh sur le champ de bataille, en 1813, les Américains, dans leur « grand pays », et les Anglais, dans leur « Dominion », purent à leur guise disposer des Sauvages, les déporter, les « civiliser », les mettre « en réserve » et, au besoin, les anéantir au fur et à mesure que le rouleau compresseur de la colonisation poursuivait sa course vers le Pacifique. Finies les alliances et les discussions, le rêve politique des Indiens confédérés n'allait jamais se réaliser. Quelques décennies plus tard, il ne restera plus un Indien en Indiana. C'est alors qu'afflueront les Noirs en provenance du Sud. Détroit deviendra le terminus nordique du « chemin de fer clandestin » qui conduisait les esclaves en fuite vers le Nord libre. Sur la place centrale, près du bord de l'eau, à l'ombre des gratte-ciels, près du monument des Canadiens fondateurs de la ville, se trouve un autre monument, en mémoire de ces Noirs qui vinrent vivre dans la ville en apportant leurs espoirs de liberté.

Puis ce fut l'explosion de la croissance. Détroit devint une grande ville, elle devint la fierté de l'Amérique américaine en se targuant du titre de « capitale de l'automobile ». C'était l'Amérique qui travaillait, qui manufacturait et qui produisait de la richesse dans l'esprit des idéaux de la République : faire des voitures automobiles pour que les ouvriers qui les fabriquent puissent les acheter. Mobilité rime avec liberté, le bonheur a bel et bien un lien avec les moteurs. Ce fut l'âge d'or de Ford, de General Motor et de Chrysler, à chacun sa voiture Chevrolet, sa Pontiac, et bien sûr, une Cadillac à la fin de vos jours. Le rêve était d'acier, il était autoroutier ; avec ses courbes et ses couleurs, ses exagérations, il fut à la source d'un empire.

Le temps a fait son œuvre. Vinrent le déclin, les erreurs de jugement. La « grosse américaine » en a pris pour son rhume, la réputation des travailleurs aussi. Aujourd'hui, la ville de l'automobile est ébranlée jusque dans ses tours les plus grandes. Ils sont au bord de la faillite, les « trois grands de l'automobile ». L'équipe de football, les Lions de Détroit, a perdu la totalité de ses matchs en saison régulière, seize défaites en seize rencontres. Le maire a récemment été destitué. On placarde les devantures. La cité se meurt. Il est de bon ton, sur la côte Est, sur la côte Ouest, de se moquer de Détroit, là où personne de nos jours ne voudrait aboutir. Cependant, d'une manière ou d'une autre, c'est l'indifférence qui fait le plus mal.

Mine de rien, Détroit porte encore le destin de l'Amérique sur ses épaules : il faudra plus que des penseurs de la côte Est ou des bien-pensants de la côte Ouest pour reconstruire les États-Unis. Il faudra Détroit, il faudra que Détroit renaisse. Car ils sont là, les restes et les débris qui traînent sur le boulevard des rêves brisés. Ici, l'Amérique n'est pas « profonde » comme l'entendent les journalistes. Elle est fatiguée. La rouille a saisi le métal de la prospérité, le béton s'effrite, la grisaille envahit la ville. Les bungalows de Toledo n'ont pas survécu au départ des adolescents.

Oui, les rêves passent, ils s'usent, ils meurent, ils renaissent. Ils doivent se confronter au temps qui passe, au petit temps de tous les petits jours. Nos regards distraits se dirigent vers les cibles faciles. Dans nos têtes enflammées, tout se joue à Washington, à New York, dans le Sud mythique ou dans l'Ouest légendaire, autant de divertissements. À Détroit, nul ne ment. Dense, grave, remplie d'une histoire que nul ne raconte jamais, Détroit se situe dans le milieu de nulle part, elle a un visage humain. C'est une ville finie.

J'aurais tant aimé garder les buts des Red Wings de Détroit. J'aurais tant voulu m'appeler Tecumseh Bouchard, jouer à l'aréna Joe Louis. Sur mon masque, les portraits peints de Pontiac et d'Isabelle Montour. J'aurais parlé français à mes poteaux, leur citant le Huron de Voltaire. Malgré mon gros salaire, je n'aurais pas eu de Cadillac. J'aurais conté aux journalistes sportifs médusés l'histoire du chef Black Hawk à Chicago, celle du Shawnee Blue Jacket à Columbus, tout en buvant une bière Salomon Juneau de Milwaukee ! Que dire de l'Illinois d'Abraham Lincoln, de l'Illinois d'Obama, des esclaves libérés, du métissage ? Illinois, mot algonquin qui veut dire « les humains »…

Mais qu'importe, rien de cela n'est jamais arrivé.

Février 2009

Le Facebook de Montaigne

Il disait qu'« on ne pense bien qu'à cheval ». Sacré Montaigne, dont les bons mots passent à travers les siècles des siècles. Le balancement du cavalier qui se laisse bercer par le pas régulier du cheval allant au rythme des longs chemins est un mouvement répétitif fort séduisant pour les neurones, pensait-il. Il faut laisser le temps au temps, bien sûr ; mais surtout, laisser du temps au cheval ! Si Ibn Khaldoun avait relancé Montaigne, il aurait probablement dit qu'« on ne pense bien qu'à dos de chameau » ! La proposition est forte. Le mouvement ondulatoire a plus d'amplitude sur le dos de cette grande bête des routes du commerce que sur celui du cheval, plus sauteux, plus nerveux. Chameau faisant, le désert en rajoute, augmente le défi de la longueur du vide. Le sable inspire l'ermite qui tourne un immense rond autour des dunes éphémères de l'esprit. Jean-Jacques Rousseau n'est pas en reste ; il se promène à pied dans le premier boisé venu. *On ne pense bien qu'en se promenant dans un boisé laurentien dégagé par les bons soins des manants anonymes.* D'ailleurs, la marche est bien le pas du cœur.

Marcher fait réfléchir, surtout lorsque personne n'est là pour vous distraire : il faut que promeneur soit solitaire. Il est bon de se taire puisque ne pas parler favorise le discours de l'âme qui déambule en même temps que le corps qu'elle habite. Rousseau parlait de rêveries, de promenades et de solitudes. Montaigne avait le sens de la lenteur : tout branle, y compris la montagne, dont le branlement est si lent qu'il est imperceptible, disait-il. Henry David Thoreau en a fait tout un plat, de cette marche infinie au cœur des vieilles montagnes de la Nouvelle-Angleterre. Il faut dire et décrire, peindre, représenter, inventer, bref, la tête du marcheur est une tête occupée et souvent besogneuse. Un monde en sortira si nous apprenons à respirer par le nez, nous tâcherons d'accoucher de quelque chose, d'ailleurs pourquoi pas d'une montagne.

Se pourrait-il que la dormance soit une donnée avec laquelle tout sage a le devoir de composer ? Si oui, il est bon de dormir, de s'engourdir et de rêvasser lentement, pour que le cerveau atteigne la pleine puissance de sa capacité de réflexion. Lao Tseu va plus loin : il propose de bouger en restant immobile, comme la montagne de Montaigne, et le grand voyagement céleste commencera aux univers de la pensée globale alors même que nous aurons atteint l'état de l'immobilité mobile. Je ne sais trop ce qu'en aurait dit Shankara qui honorait le sens profond du mot *tranquillité,* mais nous savons ce qu'en pensaient Pied-de-Corbeau et le chef cri Gros Ours : *depuis l'arrivée des Blancs, on ne pense pas assez longtemps et trop de langues sont fourchues.* Traduction : vous parlez trop vite et sans savoir ce qui est dans les mots ! Les anciens Amérindiens avaient un faible pour l'Esprit et tout devenait manitouesque quand il s'agissait de recueillement. Leur philosophie était tranchante et profonde. Sachons que l'illumination frise l'« endormitoire », aux dires des gens qui eurent quand même de « grands flashes », comme on dirait dans la France d'aujourd'hui.

De l'Inde au Colorado, et du lac Nichicun jusqu'à la Chine des grands fleuves, le bruit des pas de l'âme a été entendu par des oreilles fines, à travers des siècles et des siècles de calme et de grandes tourmentes. En fait, ce sont moins des bruits de pas que le bruit du vent dans les feuilles du tremble, celui de la cocotte d'épinette qui tombe dans la mousse, ou encore le sifflement discret du coup d'ailes des corbeaux qui traversent le ciel en rase campagne. Or, cela est intéressant, les réflexions telluriques et cosmiques les plus prégnantes sont bel et bien présocratiques. Car après Socrate, il n'était déjà plus possible de penser tranquillement le foisonnement du monde, quoique Socrate semble avoir beaucoup marché en songeant fort justement à la chose. Cependant, le péripatéticien ne mettait pas les pieds dans n'importe quel sujet. Il fallait que la voie publique soit nettoyée. Hegel dira : *on ne pense bien qu'en ville.* Il signale la raison désencombrée des miasmes des mythologies sauvages, il pense aux rues propres et bien tracées, il est entièrement à l'épure et au lisse, il est clair et carré, cultivé, quasiment cassant, et surtout, il poursuit la vérité. Il faut quand même secouer les puces des rêveries et flâneries de l'esprit et empêcher que cet esprit ne s'égare sur des chemins inexplorés. Pensons juste, pensons droit, et surtout, soyons clairs. C'est l'origine du fameux *Get to the point !* Cependant, Hegel oublie que les nomades ont connu des paysages dont la nature était immensément supérieure à l'ordonnancement de la raison.

Je me suis moi-même penché sur le sujet, pour finir par me dire : *on ne pense bien qu'en gros camion !* Revoilà le mouvement, la cadence, la course longue d'une bête de somme qui carbure au diesel et qui traverse l'Amérique sans mot dire. Mais, au fond, de quoi s'agit-il ? Il s'agit du souffle de l'esprit, de l'âme qui anime et fait le monde comme il est, c'est-à-dire à notre convenance spirituelle : harmonie et pneumonie, l'outre originelle qui se gonfle et se dégonfle, le va-et-vient du Grand Piston, la vie en somme, une énergie vitale branchée sur une pensée vivante. L'élan de création s'adapte à tous les pas, cela existe, un éclair de génie. Mais la plupart du temps, la percée n'est pas une accélération soudaine ni une explosion d'énergie ; c'est un fleuve tranquille, qui s'en va inéluctablement vers son but. J'ajouterais, d'expérience, qu'on ne pense bien qu'à vélo, qu'en canot ou sur un tracteur de ferme occupé à faire les foins.

La vraie cassure de la modernité humaine, qui rend l'imbécile si important, c'est l'apparition du *brainstorming* ! Le cerveau en pagaille est un cerveau en tempête : nous sommes la société de la commotion cérébrale permanente, quotidienne et perçue comme brillante. Nous étions déjà noyés sous les charges d'opinions, voilà que nous étouffons sous les avortons d'idées. « Il y a trop d'images », écrit Bernard Émond. Mais il y a aussi trop d'idées qui clignotent, trop de clips, trop de bulles, d'infos, nous avons depuis longtemps crevé nos montures à force de courir les lièvres de la distraction. Mademoiselle Branding, sa cousine Miss Label, et Monsieur Brainstorm se retrouvent ensemble sur la planète Poll dans la galaxie nommée Sondage. Ils font ensemble la « marque » de la philosophie, le look de l'histoire et l'image tendance de la sociologie. Avez-vous remarqué combien se multiplient les études depuis que l'humain ne pense plus par lui-même ni ne réfléchit de façon autonome ! Les études sont légion, et elles sont bêtes comme de la paille. Attachez vos tuques, les recherches démontrent hors de tout doute que le monde n'est plus ce qu'il était. Le monde ne veut plus rien savoir, il veut planer, surfer, vibrer, triper sur des images fugaces et fugitives. Et l'*Anima* se métamorphose en effet, elle devient une animation agitée, une danse de Saint-Guy. Alors, que les souris dansent ! Nous vous dirons sur le web ce qu'il faut en penser !

Tout change, dans le temps de l'écrire. L'achat d'un iPad est démodé sur l'heure. Les abeilles butinent d'une technologie à l'autre, d'un objet à l'autre. Les nouvelles technologies, qui ne sont plus nouvelles du tout puisque la nouveauté est leur nature, permettent la prolifération des imbéciles heureux. Chacun y va de son incantation, langage sans assises, images sans fondement, présentation PowerPoint avec des dessins du niveau d'une classe de maternelle, diagnostics fallacieux, mais quand même : on écoute ce grand bruit, on tripe, on fly, on déménage ! Et je te le partage sur Google où nous ferons du trampoline de nos idées, sur des plateformes, des mutiplateformes, un multilogue envahi et déformé par Internet, la télévision, la webtélé, le twitt, le Facebook, un discours jeune qui cligne de l'œil : clin clan du contenant, interactivisme infantilisant, il n'est plus nécessaire de savoir, il faut que tout soit charabia, il suffit de marquer le coup, le faiseur d'images envahit le monde du visuel et du sonore. *On ne pense bien qu'à l'intérieur d'un clip de 140 caractères ! Hot* et *cool* sont deux températures indéfinies qui fondent les moules d'un nouveau savoir : Kundera est hot et puis Cervantes est cool ! Nos enfants consomment les mythes comme des jouets de plastique que l'on jette dans la poubelle aménagée à cet effet au sortir du McDonald ! Pire, nous sommes en lien, nous ne cessons de partager, nous sommes des fichiers ouverts. Notre mot de passe à tous : fun.com.

Tout presse, mon ami, tout presse. Le cheval de Montaigne s'est emballé et la bête est crevée, mon camion crache du feu, et nous filons tous à la vitesse de la lumière. Le savoir ne sert plus de rien, la réflexion non plus. Nous devons maîtriser le clavier et nous devons penser avec nos doigts, nous plier aux contraintes de l'intelligence artificielle. Tout est format, tout est format. On gère, on formate, on remplit les cases des chemins surlignés et des liens préconçus. Tout baigne dans l'euphorie du sous-la-main, mais peu importe, on ne pense plus, on brainstorme, on ne parle plus, on jase, on n'apprend plus, on clique. Ce PowerPoint est le résultat d'un brainstorm à propos d'un sondage sur le Net qui révèle que le cortex est entré dans le vortex du twitt qui tchatte, du hacker qui hacke, du Facebook qui youtube, et que la communication doit se transformer pour mieux se positionner dans cette offre variée, afin de répondre au besoin du nouveau client citoyen qui sera l'homo wow de demain, quitte à embrocher la garde vieillissante, fidèle depuis toujours à une certaine forme de pensée et qui ne comprend rien à la soudaine apparition de cette ambiance, sanctifiée par les faiseurs d'images qui savent mieux que tout le monde ce que l'humain désire.

La révolution technologique est fascinante et les termes ne trompent pas : *Explorer, Safari*, nous voilà en voyage et nous naviguons sur la Toile. La révolution Internet a vraiment ouvert une nouvelle dimension dans notre quête de création. Cette puissante technologie a une valeur immense, mais elle vaut plus que ce qui lui arrive de nos jours ; elle pourrait tellement transcender nos comportements qui sont, par ailleurs, lamentables. Nous dirons d'Internet ce que nous disons encore de la télévision : un jour, nous saurons nous en servir à bon escient. D'ailleurs, tous ceux et celles qui s'en servent pour ce que la chose est, c'est-à-dire un outil ultra puissant et ultra performant, savent atteindre des résultats jadis inimaginables dans leur domaine. Mais cela n'est pas le principal. Si j'étais la Toile, je me secouerais vigoureusement pour me débarrasser des puces qui s'accumulent sur mon réseau. Car le Grand Outil n'est certainement pas coupable des maladies mentales des utilisateurs ; si nous lui prêtions une âme, à l'Ordi, nous saurions que cette âme souffre déjà énormément.

Je passe des heures devant mon écran ; j'écris des notes et des textes, archivant et confiant à la mémoire de la machine des tas de brouillons et d'ébauches. Je puis aller dans le moindre recoin des archives les plus improbables, je surprends des informations précieuses, je relie ceci à cela et voilà que j'ai découvert une chose, cela mène à une autre, et ainsi va le monde. Ma capacité de produire a été multipliée par mille depuis la déferlante informatique. Cependant, cela finit toujours par un livre à la poste, par des fichiers numériques à lire en longueur, par du travail sur des contenus. Le mot *document* fait encore partie du lexique. L'examen critique des documents, la reconstitution des puzzles, tout cela revient à un cerveau humain placé devant une intelligence artificielle. Ce n'est pas tout de naviguer, il faut prendre le temps, encore, de le faire avec circonspection. Cela devrait exister, une *Critique de l'Internet pur*. Car si la Raison a ses limites, imaginez celles de l'intelligence artificielle ! Il est extrêmement pernicieux de sacrifier au dieu Ordi !

Je travaille à la radio avec des jeunes qui n'ont jamais connu autre monde que celui dans lequel nous vivons. Cette phrase n'a jamais été aussi vraie. Nous tenons des réunions de production où il est question de partager nos idées. Nous les partageons en grand, sur Google.doc. Personne ne regarde personne, nous sommes cinq autour d'une table, je suis le seul à regarder les autres dans les yeux. C'est difficile, car les regards sont ailleurs, chacun est derrière le couvercle argent de son portable ouvert, petite pomme blanche bien en vue, ils fixent les écrans, virtuoses claviéristes, et dès que je nomme un personnage ou un lieu, un concept ou une référence historique, j'entends des clics clics clics, indication sonore que mes amis cherchent sur Google Maps, sur YouTube, sur Wikipédia, n'importe où, pourvu que ce soit maintenant et tout de suite, une confirmation de ce que je viens de dire. Les jeunes ne font rien par eux-mêmes et jamais ils ne feront confiance à leur cerveau comme ils le font avec le clavier de leur ordinateur. Autrement dit, ils pensent avec leur instrument, ils parlent comme leur instrument, ils ont intégré l'intelligence artificielle comme leur propre intelligence, et cela donne, en effet, des réunions où les petits ordinateurs dictent le style des échanges.

Les contenus ne sont que des prétextes pour mettre en relief la puissance du contenant. Le dinosaure autonome que je suis est constamment sujet à vérification, il faut que j'entre dans le cadre des liens préétablis. Lors des entrevues, l'inévitable se produit : je me lance souvent en créations improvisées. Je me sers de ma vraie tête pour faire des liens issus de ma pensée sauvage, de mon imaginaire, de mes intuitions et connaissances accumulées, et je me sens à l'aise de nager dans l'infini sans bouée, ce qui est ma vie normale. Mais alors, les jeunes ne me suivent plus parce qu'ils sont incapables de sortir du format. Ils sont désorientés et déroutés, hors de leur contenant. Ils reviennent vite à la sécurité de la mémoire programmée. Voilà bien le résultat : des émissions de radio saccadées, souffrant d'une surdose de formatage, des contenus convenus et sans surprise, se présentant pourtant comme inconvenants et surprenants. C'est une radio sans profondeur. On ne s'attache à rien, notre attention butine, même les rires sont en format commandé. Cela n'existe plus, raconter une histoire, prendre le temps de penser à voix haute, d'ailleurs on se fout de la voix. Les sujets sont sans importance, ils sont tous équivalents, pourvu que l'on fasse marcher la machine. Au bataillon de la culture, le passé ne répond plus présent, et l'humain ne fait pas le poids devant les exploits d'Internet. C'est une question de mémoire, c'est une question de mémoire humaine.

On ne pense bien qu'assis devant son écran, surveillant ses courriels aux deux minutes, naviguant sur le Net, gougoulant des sujets, butinant et glanant des infos, mettant un tas de choses en forme, son image d'abord, et ses affaires personnelles de gros ego que l'on communique à tout le monde. Pourquoi lire ? Pourquoi écouter lorsque l'offre des plaisirs les plus niais est si alléchante ? La victoire appartient à ceux qui ne liront jamais Montaigne, à propos de l'amitié, de l'éducation, des livres… Les réseaux d'amis ne sont pas de l'univers des sentiments de Montaigne envers La Boétie. Beethoven ne sera bientôt plus une icône, ni Mozart, ni Tolstoï, ni Camus. Pas le temps de regarder en arrière, surtout si nos arrières sont d'immenses contenus qu'il faudrait du temps pour simplement apercevoir. *Moi, Camus plus que trois minutes, pas capable !*

Cependant, il est trop clair que le fou, c'est moi. Je voulais ces jouets pour raconter encore plus d'histoires, pour transmettre encore plus de savoir, je voulais cette technologie pour la gaver de contenus ! À quoi sert un twitt si c'est pour faire de nous des super twitts ? À quoi sert un iPlouk si c'est pour nous euthanasier dans un immense avachissement ludique ? À quoi sert l'encyclopédie numérique si c'est pour faire de nous des ignorants qui se tiennent à distance des meilleurs sites de connaissances ? À quoi bon le numérique s'il ne sert qu'à mettre en ligne et « visionner » le pire de nous-mêmes, qu'à communiquer des bagatelles ? Lorsque nous constatons sur YouTube que les clips les plus débiles sur le pipi-caca et autres concours de pet suscitent des millions de vues ! On ne peut s'empêcher de penser que, même par beau temps, il y a des centaines de milliers de pauvres désœuvrés qui, face à leur écran, se régalent du trou de rien.

La tempête du cerveau a laissé nos têtes en lambeaux, la pensée en mille miettes, elle disperse la mémoire en millions de copeaux. Tout n'est plus que bribes et hoquets, sautillements et rires nerveux. Il nous faudra encore du temps, de la tranquillité pour trouver la formule, je dirais les formules, qui feront de nous des utilisateurs humains à intelligence autonome. En attendant, le sens s'étiole, s'amenuise et s'érode. La culture y perd ses plus belles plumes, tout ce qui est complexe et qui résiste au rétrécissement superficiel de tout ne sera jamais exploité.

Moi, je voulais seulement vous parler de Pantaléon Bouchard, cultivateur de Saint-Irénée dans Charlevoix, un des esprits les plus brillants de son siècle, selon Jean-Charles Harvey, qui l'a bien connu au pensionnat. Pantaléon Bouchard ! Vous avez choisi la terre, la culture de la terre, la ferme et la forêt, les bâtiments, les animaux et les champs, dans les pentes et les côtes, une vie dans les montagnes, et vous étiez si beau, monsieur Bouchard. D'ailleurs, le dirons-nous encore, juste à voir votre photo, une magnifique photo, on le voit bien que vous êtes un Indien, vous avez le visage de Taureau Assis, et celui de Geronimo aussi, vous avez le visage d'Anadabijou, un nom ancien qui signifie « le premier homme », dans ces montagnes des Montagnais, un portrait qui nous échappe, mais que l'on imagine. Un Canadien de Charlevoix, Amérindien jusqu'à la moelle, et dites-moi, qui est cet Anadabijou, l'ancêtre direct de Pantaléon ? Mais nous ne le saurons jamais ! Ces histoires n'ont pas l'importance des chiures de mouches d'idées qui nous sont aujourd'hui proposées à la télévision des connaisseurs en public cible. Vous connaîtrez personnellement cent *Tueurs si proches* et vous verrez cent *Dévorés vivants,* vous entendrez la vie de Charles Trenet en quinze épisodes, en reprise, et vous verrez cent reportages et cent documentaires à propos des algues de Bretagne ou des trottoirs de Bilbao, mais pas un mot sur le beau Pantaléon Bouchard, qui avait une si belle tête !

Jean-Louis Riel et Marie-Angélique Riel apparaissent sur une photographie prise en 1882, trois ans avant la bataille de Batoche. Le garçon a peut-être huit ans, et sa sœur est plus jeune. Ce sont les enfants de Louis Riel et de Marguerite Monet Belhumeur, une métisse franco-siouse du Montana. Le portrait montre deux enfants aux forts traits amérindiens, très beaux, qualité qu'ils tenaient certainement de leur mère. Après la pendaison de son père et l'ignominieux opprobre qui s'abattit sur la famille, le petit Jean-Louis fut envoyé à Montréal d'où il ne revint jamais, devenant ingénieur des mines pour le gouvernement du Québec sous le nom de Jean-Louis Monet Belhumeur, préférant porter le nom de fille de sa mère plutôt que celui de son père. S'appeler Riel, ce n'était pas fameux au pays de Don Cherry ! Jean-Louis mourut accidentellement en 1907, soit vingt-cinq ans après la prise de la photo qui nous le montre enfant, à la Rivière Rouge. Sa petite sœur, Marie-Angélique, n'a pas vécu longtemps elle non plus. La tuberculose l'emportait en 1896, alors qu'elle devait avoir moins de vingt ans. Les photographies commencent en effet à s'accumuler, depuis cent soixante ans. Le grand Facebook de l'auto-cliché a explosé. *On ne pense bien qu'à cheval,* mais nous n'avons pas en tête la gueule du cheval de Montaigne. Peut-on le voir sur YouTube ? Pour ma part, je suis très attaché au cheval de Gabriel Dumont ; les hommes des plaines, les Métis qui parlaient français et qui parlaient le sauteux, ou le cri, ou l'assiniboine sioux, ces hommes des grandes plaines qui chassaient les bisons, ils ne furent pas des western cow-boys, ils ne furent pas des gauchos de la pampa, ils ne furent pas des desperados de la Sierra. Qui furent-ils ? Ils ne furent rien du tout, finalement. Ils n'ont pas eu assez d'amis dans le réseau social !

Angélique Chalifoux, une Algonquine orgueilleuse dont on voit la belle photographie datant de 1885, aux côtés de son époux Ambroise Desormeaux, fut une des premières femmes colon dans un village des Laurentides. Le couple digne, dans ses habits du dimanche, pose pour la postérité. Ce sont des défricheurs de terre et les bâtisseurs d'un nouveau village. Ils portent des noms typiquement canadiens-français, mais Angélique est algonquine. Voilà que les colons des Laurentides étaient aussi des Indiens fondateurs de villages catholiques dans la vallée de la rivière Rouge. De quoi surprendre, de quoi dire et raconter, de quoi s'étonner !

On ne pense bien qu'en brainstormant. Jusqu'à ce que les idées hot entraînent un burn-out cataclysmique, à l'origine de trous noirs, obligeant les internautes à se reposer le cerveau en regardant des séries cool sur le Net, question de se refroidir la matière grise. La roue tourne rapidement, comme le cerceau du super hamster universel, allant jusqu'à cannibaliser le temps, l'espace, et le sens, jusqu'à confusion totale ! Les temps changent, Montaigne, les temps changent ! Haute vitesse et effets spéciaux, le cheval Pégase vole à la vitesse de la lumière, il se décompose et se transforme, il est un rayon laser, mais il ne veut plus rien dire. Pas le temps de penser à hier. Allez vous rhabiller, madame Angélique Chalifoux !

Et que dire de Jean L'Heureux ? Né près de Montréal, il voulait devenir un prêtre missionnaire dans l'Ouest canadien, dans la dernière moitié du XIXe siècle. Il ne devint jamais prêtre pour avoir été souvent pris en flagrant délit de sodomie. Cependant, notre saint homosexuel se rendit quand même parmi les Sioux du Montana et parmi les Pieds-Noirs du sud de l'Alberta. Il portait la soutane et se faisait passer pour un bon prêtre catholique auprès des Indiens. A beau mentir qui vient à cheval… Il était prêtre au jour le jour, installé à demeure par les Indiens et fort apprécié d'eux, si bien qu'il devint le meilleur interprète sioux et algonquien de l'Ouest canadien et américain. Durant les négociations politiques, Sioux et Pieds-Noirs exigeaient sa présence à chaque réunion officielle, au grand dam des autorités qui, travaillant à l'enfirouapage final des Amérindiens dans l'Ouest, se devaient de reconnaître l'importance du personnage. Jean L'Heureux apparaît sur quelques photographies anciennes et célèbres, du moins pour ceux qui s'intéressent à cette histoire. Cependant, les chroniques sont généralement silencieuses à son sujet parce que personne ne se vantait d'avoir fréquenté ce faux prêtre ouvertement homosexuel. Notre homme ne se cachait plus depuis que, à sa grande surprise, il avait constaté que ses orientations sexuelles étaient considérées comme normales parmi les Amérindiens.

Je ne sais pas ce qu'en pensaient les La Boucane, des Métis du village dit La Boucane, en Alberta. Le bon père Albert

Lacombe n'a jamais insisté sur le fait que Jean L'Heureux était à ses côtés lors de la bataille des Pieds-Noirs contre les Sioux, alors que l'oblat fut touché par une balle perdue. C'est le faux prêtre qui prit soin du vrai pour le sauver du pire. Et puis L'Heureux était là, important, lors des négociations et des signatures du Traité n° 6. Et il accompagnait Pied-de-Corbeau et Albert Lacombe lors de leur voyage à bord du Canadien Pacifique dans l'est du Canada, à Ottawa et à Montréal, vers 1886. Pied-de-Corbeau de demander, dans sa langue algonquienne siksikawa : *Alors, monsieur L'Heureux, on ne pense bien qu'en train ? Croyez-vous que l'Internet sauvera les pauvres Pieds-Noirs de leur malheureux destin, monsieur L'Heureux ? La révolution Facebook va-t-elle nous éviter le pire ou serons-nous l'objet d'un jeu éducatif interactif sur des plateformes convergentes à l'usage des utilisateurs qui papillonnent de mémoires en mémoires ? Dites-moi, monsieur L'Heureux, devrais-je twitter et à qui ? Comment décrit-on des milliers d'années de beaux regards d'enfants dans le vent sain des Plaines en 140 caractères ? Est-il vrai, monsieur L'Heureux, que les bisons reviendront par dizaines de milliers, sur grand écran, par la magie de la reconstitution numérique ?*

Le pauvre fou que je suis s'en retourne sur son vieux tracteur grave, basse révolution et petite vitesse, claquement du fidèle moteur diesel, et remonte aussi profondément qu'inutilement la courbe du temps. *On ne pense bien qu'avec sa tête*, me dis-je, entre le premier et le deuxième champ, dans la passe des grandes épinettes. Ce qu'elle est lente mon histoire, ce qu'elle est lente ! Juste au-delà de la colline, un village où vécut Angélique Chalifoux ! Tu es née à Terrebonne, Angélique, probablement Oueskarini, ces Indiens dits de La Petite Nation, tu avais une sœur, une Algonquine comme toi, et ta mère était une petite Boivin, tu t'es mariée en 1845 dans un village nommé Papineau, près de Montebello, au temps du seigneur de La Petite Nation, Louis-Joseph Papineau, alors que tu avais vingt ans. Tu as eu trois enfants, tu as vécu à Saint-Rémi dans les Laurentides, village voisin d'Huberdeau, avec ton colon de mari, Ambroise, aussi trappeur que bûcheron, et tu serais morte en 1910, à Montebello, emportant avec toi le mystère algonquin de ta vie.

Oui, de penser le pauvre fou. *C'est une question de mémoire, c'est une question de mémoire humaine.*

Juillet 2011

Du pays de nos âmes

Pour une politique des points de vue

Les paysages sont les lieux communs par excellence. Il faut voir le territoire comme un immense domaine composé d'innombrables paysages livrés librement à la découverte et à la jouissance de tous. Bien des mots et autant d'expressions viennent à l'esprit quand on pense aux millions de millions de *regards* possibles sur l'espace qui nous entoure. La terre est grande et bien diverse. C'est dans sa nature, à la Nature, que de montrer tant de *visages*. Mais encore faut-il avoir les *yeux ouverts*, c'est-à-dire développer et entretenir la sensibilité nécessaire à la captation de semblables dimensions. Il faut un *penchant*, une *disposition d'esprit*, pour ne pas dire un *état d'âme*.

L'état des lieux est donc à l'origine un état d'âme. Ici, le regard est véritablement une réflexion. La beauté est dans l'œil de celui qui regarde. Certains regards sont bien éteints, la vue est un sens qui se cultive et la sensibilité se nourrit de sens. Nous pouvons être aveugles à l'évidente beauté qui nous entoure. L'œil se ferme alors même que nous devrions avoir les yeux ouverts.

À la nature des choses, déjà belles en soi, déjà offertes à l'appréciation de l'œil intelligent, s'ajoute la nature de nos propres créations. L'humain est un aménagiste. Il tond, coupe, déblaie, taille, corrige, défait, refait, invente des espaces. Il a ce pouvoir de création. Voyons donc les choses sous cet angle : la nature sauvage fut longtemps celle du Créateur, la nature humaine est celle des nombreux petits créateurs que nous sommes, demi-dieux qui exercent leur pouvoir de créer leur environnement. Nous nous créons nous-mêmes comme nous créons l'espace qui nous entoure. D'ailleurs, ceci est le résultat de cela. Le paysage humain est bel et bien le reflet de ce que nous sommes.

Voir ou ne pas voir, voilà la question. Vouloir ou ne pas vouloir. Sentir ou ne pas sentir. Et rechercher le beau comme ayant une valeur en soi, sacrée.

Dès lors, le paysage humain reflète l'état d'esprit de la société des demi-dieux, c'est-à-dire l'état général de la culture du monde habitant un lieu. Le *coup d'œil* en vaut la peine parce qu'il révèle l'état du monde. Nous pourrions tenir l'argument à partir de la planète entière en le déclinant successivement en autant de niveaux, jusqu'au lieu précis où chacun se trouve en cet instant même. Est-ce beau ? laid ? bien ? mal ? Est-ce en projet ? à l'abandon ? irrécupérable ? détruit ?

Pour enfourcher le cheval de la beauté, il faut avoir le goût de chevaucher vers l'absolu. Or, le goût se cultive. Revoilà la culture, et puis voilà ce goût dont on dit qu'il ne se discute pas. Tous les goûts sont dans la nature, dit-on *ad nauseam*. Mais tous les goûts n'ont pas la même valeur dans l'aventure humaine. Car le pouvoir de création appelle la responsabilité de faire beau. Cependant, qui a le talent de créer a aussi la capacité de détruire. D'ailleurs, on peut créer de la laideur. Par mauvais goût, par laisser-aller, par dévaluation de la beauté elle-même, par survalorisation d'une autre dimension.

Le paysage humain est souvent le résidu d'une autre aventure, celle des absolus de l'impérialisme économique. La Nature doit rapporter, elle est ressource à exploiter, richesse à créer, matière à transformer, et personne ne se soucie du reste, c'est-à-dire des restants.

La beauté n'est donc pas notre premier sujet. C'est l'enrichissement à tout prix qui nous allume. Être riche d'abord, être beau ensuite. D'ailleurs, voilà bien une loi de l'Histoire, semble-t-il. La beauté résulte de la richesse. Aménage celui qui en a les moyens. Les riches cultivent des jardins de beauté, à l'écart des déserts et des espaces dévastés, des terrains vacants et abandonnés, habités par les marginaux et les perdants, des espaces tristes et vulgaires causés par la création de la richesse, injustement. La laideur ambiante et générale de nos paysages humains serait le prix à payer pour la beauté que nous parvenons à créer dans des espaces réservés aux classes supérieures de la société. N'ont-ils pas de la culture et du goût, les riches ?

Le Québec est-il laid ? Qu'en est-il de nos paysages sauvages ? De nos paysages humains ? De nos terres, villes et villages ? Qu'avons-nous fait, qu'avons-nous dit, quel est l'état de notre culture à cet égard, jadis, aujourd'hui et demain ?

Il n'est pas de réponse simple à ces questions. Mais nous pouvons bien tourner autour du sujet.

Jacques Cartier a lancé un mouvement : le mépris pour les paysages nordiques, la taïga en particulier, la forêt boréale. Il déteste ces épinettes rabougries, cette froide monotonie, ces horizons qui ne lui inspirent que de la dureté. Puis, il parlera peu des paysages laurentiens, et presque pas de la vallée du Saint-Laurent. Avait-il la tête ailleurs ? Certainement.

Les premiers missionnaires aimeront les paysages de la région de Montréal, paysages qui leur rappellent l'Europe.

Mais il y a peu de témoignages ou de rapports quant à l'appréciation des paysages par les anciens. L'élite bourgeoise était en ville mais elle avait des terres. Elle ne laissera pas grand-chose en héritage, car elle écrit peu sur le sujet. Les seigneurs aimaient-ils leurs seigneuries autrement que pour les richesses qu'elles représentaient ? Que pensait Louis Jolliet de la Minganie, Repentigny de Repentigny ? Plus tard, que pensait Henri Bourassa de La Petite Nation ? Nous sommes pauvres en confidences.

Les coureurs de bois aimaient le bois. Radisson nous a laissé des passages dans son journal où il avoue ses sentiments face à ce qu'il considère souvent comme les plus beaux environnements du monde. Il est aux antipodes de Cartier, notre

Radisson mal-aimé. Très loin des prêtres catholiques aussi, pour qui la nature sauvage est un lieu de perdition. Le domaine du Diable. Il aurait fallu une chapelle sur chaque lac et des chemins de croix sur tous les sentiers pour que la religion s'intéresse à l'immense territoire. Il aurait fallu que l'espace soit entièrement béni pour trouver grâce aux yeux de l'ordre religieux.

Et puis, il y a cette observation de Marcel Rioux qui reprend une vieille idée : l'habitant canadien-français n'aime pas les arbres, sources de beautés diverses, en raison de leurs silhouettes, de leur présence dans les vides de l'espace, de la lumière et des couleurs. À l'inverse, la culture canadienne-anglaise et même anglo-américaine privilégie les grands arbres. D'où viennent cette différence et ces traits particuliers ?

Il se peut que nos ancêtres bûcherons en aient eu soupé des arbres pour en avoir trop coupé. Il se peut que nos ancêtres colons n'aient pas pu voir un arbre en peinture. Il se peut que la pauvreté des moyens ait joué. Que notre héritage franco-français ait influencé nos visions jusque dans ces aspects. Le lot français n'est pas le pré anglais. Et ainsi de suite, qui trouve une réponse dans les armoires de la culture collective.

Où l'on voit que notre rapport au paysage est total puisqu'il en va de notre rapport collectif au monde. D'ailleurs, cela se fait toujours à deux niveaux, le fond naturel (sauvage) d'un pays donné et l'action humaine dans ce qui est naturellement donné.

Il faut avoir l'esprit en paix, un petit paquet de certitudes et les moyens de ses ambitions pour aménager les lieux que nous aimons, fréquentons, habitons. Voilà ce qu'avaient les communautés religieuses catholiques, qui soignaient la beauté de leurs domaines, terres et habitations. Les communautés avaient foi dans leurs choses à elles et l'argent ne manquait pas. Comme des seigneurs, les ordres religieux cultivaient leurs jardins en se taillant des noyaux de beauté au cœur des grandes désolations environnantes. Les domaines devinrent des héritages culturels, des morceaux de choix, notre seul patrimoine bien souvent.

D'ailleurs, la foi déplace les montagnes. Nous pourrions dire qu'elle les détruit aussi. Croire en l'économie à tout prix nous dispense de sentiments autres que ceux liés à la mathématique du rendement et des résultats. La foi fait dans les deux sens, elle embellit, elle enlaidit, selon la fin de la croyance.

La plus grande manufacture de laideurs aura été le monde des manufactures, justement, celui des usines, des industries, le monde de la révolution industrielle. C'est donc l'industrie qui a historiquement manufacturé le laid. Quand une région n'est qu'une ressource, quand un quartier est ouvrier, lorsqu'une ville entière est dédiée à une activité économique et seulement économique, bref, quand la logique économique devient nécessité, cette nécessité fera la loi. Pour du gravier, on grugera une montagne, fût-elle isolée dans le paysage et remarquable montérégienne. On rasera des forêts sans se soucier des effets visuels permanents. On érigera n'importe quoi dans le décor humain, des murs, des cheminées, des monuments à l'efficience, mais des horreurs pour la conscience. Et l'architecture sera à l'avenant, c'est-à-dire absolument absente.

Nous sommes passés de la santé relative d'un monde traditionnel qui songeait à l'allure de son environnement humain par simple réflexe culturel à la grande maladie du paléotechnique, puis du moderno-superficiel qui n'ont plus de culture commune hormis la commerciale et celle, encore plus triste, du tout est permis du moment que tu possèdes un permis. Ici, la beauté est une fois de plus l'apanage des arts et de la culture des riches, des quartiers réservés, des domaines privés. C'est le paradoxe des humains qui détruisent le monde en prétendant l'enrichir. Ceux qui détruisent le monde se feront une beauté derrière de hautes clôtures, se réserveront des villes dites culturelles, des joyaux particuliers.

Que le reste crève. Nous ne le verrons plus, il sera caché dans la mémoire, il sera hors-culture. Le territoire à l'abandon sera une terre abandonnée aux ressources qu'elle peut fournir. L'architecture des villes et des villages sera une nonarchitecture, soumise aux lois des matériaux les moins coûteux, soumise aux lois du moindre effort, quand le faux succès de quelques agglomérations se réduira à copier les boulevards Taschereau du monde entier. Avoir ou ne pas avoir son Canadian Tire, voilà la question.

Bien sûr, l'humain est résilient, il se fera du sens partout, à partir de n'importe quoi. Camus dit que c'est dans les paysages les plus vulgaires que se cachent les dimensions les plus subtiles de l'âme humaine collective. Il a raison. Sa remarque s'adresse à la condition historique des humains, au scandale des grandes injustices. Lorsque j'étais jeune et enfant dans l'est de Montréal, nous étions attachés aux paysages des raffineries de pétrole, des cimenteries et des usines de l'industrie chimique. Cela, comme le reste, devient matière à nostalgie.

Mais dans un projet de société, dans un rêve collectif, pourquoi aurions-nous la laideur en partage ? Être beau demande beaucoup d'ouvrage.

Novembre 2004

Les trois sapins de la GM

Je me mets facilement dans la peau des arbres. Ce jeu m'apaise et contribue depuis toujours au maintien de ma santé mentale ; semblable manie a l'avantage d'intéresser, de distraire, de cultiver tranquillement le champ de l'imaginaire. Je me détourne de moi-même en m'accrochant au premier chicot venu et voilà que je vois tout sous son angle. La thérapie la plus efficace n'est souvent qu'une manière simple de voir le monde. Cela se sent, la vie ; la conscience a ceci de grand qu'elle se pose où elle veut.

Les sapins bleus sont apparus chez nous dans les années 1950, après la guerre, il y a plus d'un demi-siècle. Mode, révolution tranquille dans les parterres, rejet de nos épinettes quotidiennes, de nos sapins baumiers, de nos identités conifériennes naturellement jugées médiocres, négation de notre histoire-fardoche, il fallait des arbres nouveaux pour l'ornementation d'un monde nouveau. Je crois que nos jardins traduisent toujours nos états d'âme. Pour nos bungalows, nos bâtisses, nos usines et nos parcs autoroutiers, nous plantions dès les années 1960 des arbres achetés à la pépinière. Je veux un sapin, certes, mais un sapin d'ailleurs, de Géorgie ou du Colorado, un sapin bleu qui a de la classe.

Nos paysagistes sont les portraitistes de ce que nous sommes devenus. Nous, qui étions des sauvages, voilà que nous sommes des arrangements d'arbustes et de touffes diverses en façade et au pourtour de nos fragiles bâtis humains. Devant l'usine de la GM de Sainte-Thérèse, il y a plus de quarante ans, aux instants euphoriques de la grande ouverture, on a bel et bien planté trois petits sapins bleus. Futures colonnes d'épines et présumés témoins de la pérennité des choses, ces trois petits sapins travaillaient dès lors pour la GM, provoquant du coup l'envie des arbres ordinaires qui n'avaient pas la chance de tenir un aussi beau rôle.

L'autoroute 15 en ces temps-là était neuve comme un jouet brillant. Ces petits sapins ont connu les postes de péage, la prospérité des années 1970, la crise du pétrole, les angoisses des grèves, l'espoir de jours meilleurs, des Camaro à la pochetée, ils ont connu les bons salaires, des bouchons mémorables, des temps passables, des hivers et des étés, la dégringolade du voisin d'en face, la Kenworth, sa renaissance, et, à l'instar de tous les arbres, la simple mais râpeuse usure du temps.

La route a vieilli, les Laurentides aussi. La GM a brûlé le carburant de son destin. Les rêves et les réalités s'en sont ensemble envolés. L'actif est passé au passif. Les sapins bleus sont devenus un peu plus grands, humbles portiers et gardiens fiables de l'édifice à bureaux qui se trouvait devant la grosse usine. Mais ils savent aujourd'hui que les affaires humaines changent vite de cap.

Car l'usine est passée sous les pics des démolisseurs. À l'heure où j'écris ces lignes, les trois sapins regardent encore l'autoroute, mais tout s'est écroulé dans leur dos. La raison de leur existence a disparu. Les travailleurs sont partis, le parking est désert, la GM n'est plus, mais les trois sapins bleus sont encore là, sentinelles d'un rêve devenu cauchemar.

Le temps des arbres n'est pas celui des hommes. Les arbres croient naïvement que le jeu consiste à durer. À ce titre, nos trois sapins doivent être monumentalement désorientés. Ils ont l'air de quoi, à présent, au milieu de ces ruines, comme s'ils étaient les seuls survivants d'une grande catastrophe, d'un incendie de forêt, d'une bombe, de tornades et de tempêtes qui auraient tout détruit ? Ils doivent se dire que la vie est plus sauvage dans le business que dans le plus profond des bois.

Je passe souvent sur l'autoroute en direction d'Huberdeau,

de Val-d'Or ou de plus loin encore. Je vois à chaque fois mes trois sapins de la GM. Je compatis. J'en parlais récemment à un de mes thérapeutes, un mélèze de ma connaissance, vieil arbre assez tordu qui vit le long d'une route secondaire dans la vallée de la Rouge, au sortir de Weir, en direction d'Arundel. Ce mélèze soutient que les arbres vivent de lumière, d'eau et de paradoxes, ce qui les pousse aux plus grandes ironies. Les arbres se battent pour sortir du peloton, pour dépasser les autres, pour durer et prendre le plus d'espace possible. Mais en même temps, leur salut tient à la sécurité du lot. Ils sont solides dans une forêt dense, ils sont moins en péril lorsque fondus dans l'armée de leurs semblables. Autrement dit, chaque arbre rêve d'espace et de solitude, de lumière à lui seul, il rêve de la mort des autres, chacun veut être roi ou reine, majestueux selon ses gènes, beau cerisier d'automne, chêne royal, orme magnifique. Mais une fois parvenu au sommet de sa classe, il est marqué et remarqué. Mieux vaut pousser pour rien le long d'une route tranquille qu'en vedette le long d'une autoroute. La vie est un champ de mines. Nous sommes sous les bombes. Il suffit de vivre assez longtemps pour voir tomber, autour de soi, les gens. Inutile de trop s'exposer.

Voilà bien ce que me disait le mélèze, inquiet du sort des trois sapins de la GM. Car sont-ils dans les plans de la reconversion du site ? Va-t-on construire le prochain rêve autour d'eux ? Ou va-t-on simplement les abattre, comme les murs de l'usine ; ou, pire, les laisser là, ridicules et frileux, au beau milieu d'un terrain vague ?

Prions sainte Thérèse, patronne de je ne sais quoi, des usines de pointe qui naissent, qui s'émoussent, qui meurent et puis s'en vont, prions sainte Thérèse des petits sapins bleus, patronne des terrains vagues, sainte de la poussière, protectrice des espaces gris où les arbres perdus se cherchent de l'ouvrage.

Février 2005

De la forêt et des temples

Toutes les forêts ne se ressemblent pas, bien sûr, mais les forêts sont toujours des forêts, disons des océans d'arbres. Elles sont jeunes, vieilles, vierges, en repousse, brûlées, vigoureuses, mal en point, tropicales, pluvieuses, boréales, tempérées, chaudes, froides, hantées. Leur humidité et leurs brumes sont comme la sueur de l'Histoire. Elles furent d'abord impénétrables, puis habitables, habitées, coupées, rasées, détruites. Les forêts se fossilisent, comme les trilobites, elles se condensent, comme les souvenirs.

Puisque la forêt est une explosion lente de vie, elle aura la mort lente des grands cycles, les courbes longues et calmes des sourdes vagues du temps. Elle va, elle vient, disparaît, renaît de ses cendres, littéralement parlant. Sa vigueur est celle de la Nature, sa fragilité aussi. Il y a des choses qui écœurent la forêt, le capitalisme, la Raison, les insectes et le feu, notamment. Il en est d'autres qui la vivifient, le soleil et l'esprit, la paix et puis la pluie.

La forêt s'est répétée depuis longtemps, elle est le symbole de l'ancien, une sorte de mémoire accumulée par sédiments qui plongent dans le creux du Temps. Le pétrole, le gaz naturel et le charbon sont des énergies qui nous viennent des forêts anciennes, les gigantesques futaies du Carbonifère. Il en reste ces gaz, ce liquide noir et ce minerai poudreux. La Nature, cette dame Carbone, se recycle et carbure. Elle garde tout et se nourrit de ses morts répétées. Entre l'humus et l'humain, un lien.

Dans la forêt, les arbres nous observent. Ils savent que nous sommes constamment sur le point de nous perdre. Les arbres nous épient. Le passant est-il un allié, un ennemi ? Car la forêt connaît l'alliance et elle connaît la guerre. Il est notoire que les arbres se font la guerre mais que ces grands combats regroupent des armées, des classes et des espèces. Cela s'appelle la biodiversité aujourd'hui, cela s'appelait la vie, hier. Les arbres passaient en rangée, ils défilaient en allant au combat, chacun avait son style. Les arbres marchent quand ils doivent marcher.

Méfiez-vous des aulnes, ils sont puissants, nombreux, influents, et ils savent commander ; le bouleau est courageux, le chêne aussi, le saule pleure, le peuplier se sacrifie, le hêtre est si dur, le frêne est imprudent, le sapin est impavide : la liste s'allonge qui donne du sens, des réputations, des dires et des sagas à chacun des acteurs, jusqu'à la dernière feuille, jusqu'aux moindres brindilles.

Car la forêt parle, elle n'est qu'un long murmure, un silence plein, une récitation de bruissements, des chants, des frottements, des craquements qui sont les fondements de toutes les poésies du monde. Elle est un langage, un souffle et un rythme, elle raconte pour qui sait l'entendre une histoire sans fin qui est si belle et si grave que cela ne peut s'écouter d'un coup. Il faut des marches et des marches, des méditations et des promenades, s'asseoir et ouvrir bien grandes les oreilles de son âme, refaire ses sentiers et ses sentes, fixer longuement le ruisseau et tout ce qui ruisselle, passer du caillou au bloc erratique, de la branche morte aux pousses de l'année.

Il ne reste plus que vingt pour cent des forêts originales de la terre. Ce sont celles qui étaient trop reculées, trop éloignées pour être exploitées sous la main, sur le champ, à portée de cognée, celles que notre appétit se réservait en dernier pour n'avoir plus accès aux autres plus proches que nous avons rasées. Nous sommes en train de les abattre aujourd'hui, les dernières grandes forêts du monde. Nous éradiquons la source d'une immense partie de notre mémoire. Bientôt, ce sera terminé et là, peut-être, la forêt sauvage rendra finalement l'âme, notre âme, sans que nous le sachions vraiment.

Il y a de cela trois ou quatre mille ans, le pays méditerranéen était un pays forestier qui devait être d'une grande beauté. Homère le décrit : pins, chênes et cèdres magnifiques. Mais il ne reste plus rien, il ne reste que de la pierraille, des sols évanouis, des raretés d'eau. La construction des bateaux, des maisons, les besoins en bois de chauffage pour les foyers comme pour l'industrie, rien n'a pu empêcher la déforestation méditerranéenne de glisser jusqu'en bas de la pente de la désertification.

La Gaule chevelue, toute l'Europe tempérée, les interminables forêts de chênes, de hêtres, de frênes seront déforestées au Moyen Âge. À la fin, il ne restera que des boisés, des tales de forêts dans une mer de champs humains. La Chine fera de même et deviendra l'ennemie des grands arbres. Viendront les Amériques et ainsi de suite où l'arbre acquerra une valeur marchande dont il ne se remettra jamais. Nous brûlons, épuisons, abattons nos temples les plus anciens. Comme si nous défaisions Notre-Dame de Paris sous prétexte que la pierre qui fait ses murs vaut quelques millions de dollars américains.

La forêt est profonde. Nous nous y enfonçons comme dans la nuit des temps. Plus on s'éloigne des foyers humains, plus on remonte dans le temps. Plus on avance, plus on retourne ; plus l'on va, plus l'on revient. Plus on s'enfonce, plus on s'élève. C'est d'ailleurs le principe de l'égarement. L'humain perdu tourne en rond, comme autour du tronc d'un arbre. Les cercles de croissance sont des cercles magiques, semblables à des toiles qui nous prennent, à ces capteurs de rêves que les Indiens fabriquent. Les arbres creux façonnent des couloirs qui remontent ou s'avancent dans le temps. La forêt est une sorte de labyrinthe, pour qui ne sait rien de la nature du chemin. Marcher en forêt, c'est toujours marcher de travers, de détours en contours, la ligne droite ne sert à rien. C'est la ligne gauche qui est le mieux.

Vous comprendrez que la forêt sauvage n'est pas le fort des rationnels, des raisonneurs, des calculateurs et des organisés. Elle n'enjôle pas l'esprit civilisé, raffiné ou précieux. Le précieux est son ennemi. Car si le commerce lui est fatal, si l'appât du gain lui est maléfique, l'idéologie l'est encore plus. La forêt sauvage fut frappée au coin des œuvres du diable, considérée comme le refuge des déchus et du Malin, le royaume de la bestialité et de la fornication, un monde abandonné de Dieu, le domaine de l'ombre, là où tout foisonne et s'enchevêtre, là où l'entremêlement des vies devient inextricable, le lieu de la confusion totale et primale. Il n'y a plus moyen de distinguer l'humain de la bête, et les arbres parlent trop, ils prennent trop de place.

Ainsi aperçue, elle n'avait plus de chance, pauvre forêt du début des âges. Ce fut l'obstacle à abattre, le refuge à violer, l'ombre à éradiquer. Le fouillis désordonné devait être mis à l'ordre, redressé, clarifié. Il y a dans le mot *clarifier* le mot *clairière.* La petite clairière devait s'agrandir jusqu'à tout faire disparaître. Elle mange la forêt de l'intérieur. Si bien que nous en arrivons à ne plus avoir de mots pour la désigner. Nous parlons de villes et de campagnes, et il n'y a plus rien d'autre. La forêt sauvage, la forêt tout court, pousse sur une autre planète où nous n'allons plus. Il n'y a plus moyen de tenir feu et lieu au milieu de l'océan-forêt. Non, nous allons plutôt de villes en campagnes, dans la lumière et l'éclaircie de tout.

Alors venons-y. Elle est magique, la forêt. Les animaux sauvages y prennent une dimension qui habite entièrement notre vision poétique, un imaginaire qui rassasie en quelque sorte notre appétit de fantastique. Elle est bonne à penser, la forêt, bonne à dire. C'est la première de nos grammaires, le pied boisé des plus belles constructions de notre esprit. Nous sommes des créatures naturelles et nous appartenons au monde qui nous entoure. Or ce monde est nature, il est arbre, mousse, vent, cycle, régénérescence, croissance et décrépitude. À ce compte, si nous étions répétitifs et tranquilles comme une forêt lointaine, nous serions éternels, comme tous les retours et les retournements, nous aurions à tout le moins une conscience furtive de l'éternité. Qui ne connaît pas la taïga ne comprend pas l'éternité. La forêt, c'est du temps.

Il est vrai que la forêt fait une bonne part à l'ombre. Elle est noirceur et nuit, et si le soleil est la source de sa vie, elle fait tout pour le tenir à distance respectable, tout pour ne pas en faire le premier des sujets. La forêt aime la pénombre, elle est résolument raffinée sur la question de l'éclairage. Ni trop fort ni trop faible, juste ce qu'il faut pour qu'elle pompe et respire. Elle est pneumatique autant que nous, la forêt, une formidable pompe à eau et à air. Il faut que la pression soit juste, ce souffle puissant et ces fins effluves ne supportent pas les déséquilibres et les grandes dérives.

Ses cauchemars tiennent dans les déluges, les chablis, les redoutables coups de vent, le feu, la foudre. Oui, la forêt a peur du feu. Pas du feu régénérateur, pas du feu de la vie. Elle a peur du feu universel, celui qui la consumerait entièrement, elle a peur, finalement, du soleil. Pensons-y bien ; l'humanité la plus destructive est celle qui a choisi le soleil, la lumière, le feu sacrificiel et maléfique, celle qui dans l'histoire récente a choisi l'or et l'argent. Les empires du soleil ont cultivé le sang, la violence, la lumière éclatante à tout prix. La forêt, qui est le contraire de l'éclat, en a pris pour son rhume. Sa sombreté l'a condamnée aux yeux des prêtres intolérants du progrès et des lumières vives. La forêt avait peur du soleil des humains, elle avait peur de l'inquisition des hommes, de la machine à purifier.

Les amants de la forêt, poètes primitifs et premiers, sont des amants de la Lune. Quand la forêt sait que tu es lunaire, elle devient ton alliée, ton amie. Tu ne pourras vraiment t'y perdre sauf pour le bénéfice du sentiment. L'ermite heureux s'est retiré d'un monde qui le tuait. La forêt est une maîtresse qui initie les innocents afin de les conduire sur les chemins de la sublimation de l'apparent réel. Manitou, Artémis, Mana et combien d'autres déités uniques qui tissaient les liens de l'unicité. La forêt nous apprend à prier, tout simplement. Elle connaît les formules sacrées.

Les forêts sont désormais commerciales, coupées à blanc, marquées au rouge, le rouge de l'abattage, les forêts dansent en ligne, devenues des réserves de chasses profanes et de pêches permises, elles rapportent de l'or et de l'argent, elle sont en cubes et en volumes, en miettes et copeaux, traversées de trophées et de sports extrêmes, pornographiées jusque dans les ébats nocturnes des souris à cou gris, dans les chemins des loups numérotés, dans le repos des canards bagués, dans l'inquiétude des espèces menacées, dans les réglementations gouvernementales ; les forêts sont des zones d'exploitation contrôlée, des aires de pique-nique, il n'est plus un arbre qui n'a pas entendu le bruit d'un moteur d'avion crépiter, pétarader ou siffler au-dessus de sa tête, plus un lynx qui n'a pas eu à traverser une route humaine, plus une épinette qui ne craint pour son éternité. La forêt n'a plus le temps de respirer.

Hegel était un urbain et croyait que la philosophie appartenait à la ville. Socrate détestait la nature. La forêt est mythique et la Raison dit : Sus aux mythes ! Mort aux mythes ! Socrate n'était pas un poète. Hegel non plus. Mais nous avons en héritage le poids de cette immense petitesse. Quels terribles bûcherons que ces philosophes de la Cité désencombrée ! Que la Nature crève, au nom des lumières et des poussières de la Ville !

Cependant, il doit bien rester des lambeaux de cette profonde unité. Il doit bien y avoir un ours qui rôde à gauche, à droite, porteur de la mémoire des ours, un orignal fantastique que les temps mauvais ont épargné, un carcajou, surtout un carcajou, qui s'apprête à refaire le monde primal, sachant que tout revient et reviendra, sachant bien que c'est le carcajou qui rira le dernier. Il doit y avoir une mouche, maîtresse de tous les animaux, des humains et de la vie, qui vole inaperçue au-dessus d'un étang inconnu et qui s'apprête à porter un grand coup, un coup de ses ailes magiques.

Car serait-il possible que nous ayons jeté, pillé, brûlé cette bibliothèque plus grande que mille fois celle d'Alexandrie, que nous ayons renié tous les poèmes de cette poésie, que nous ne soyons plus capables d'avoir la force d'un arbre, d'avoir sa dureté, en même temps que sa sagesse et son humilité ? Serait-il possible que nous soyons venus à bout de notre propre magie ?

Novembre 2005

Le mélèze et la symphonie du monde

L'année 2001 sera la première du prochain millénaire. On ne s'en méfie pas assez. La voilà qui se pointe, mine de rien, pareille à une année ordinaire, une année semblable à toutes celles que nous avons connues mais que nous avons oubliées. Elle ne passera pas à l'histoire, à moins d'une malheureuse surprise. Or, nous n'aimons pas vraiment les surprises. Notre joie est prévisible, notre exaltation, planifiée. Le 1er janvier 2000, nous nous devions d'être émus, ce fut la nuit de la joie obligatoire. Nous téléguidons nos fêtes et obéissons aux ordres du calendrier. Le reste se retrouve dans les cases de la routine. À cause de sa régularité, notre calendrier est d'une platitude sans précédent dans l'histoire des humains. L'an 2001 sera au millénaire ce que six heures du matin est au lundi d'une dure fin de semaine : le réveil d'un lendemain de veille. Il faut reprendre le collier, le travail, la routine.

L'an 2001 n'aura pas l'avantage du chiffre rond qui frappe l'imagination. Certains chiffres sont moins nobles que d'autres, certaines années, plus anonymes. Deux mille un, ce n'est déjà plus ce chiffre fascinant et magique, un gros point sur la ligne du temps. Le party du millénaire fut un gros party comme un gros samedi soir qui reviendrait tous les mille ans tandis que 2001 ne saurait être autre chose que le glissement dans la continuité. Ce sera long jusqu'en l'an 3000.

Pas de catastrophes annoncées pour 2001. Pas de nuée de sauterelles métalliques et mordantes, pas de nouveau messie virtuel, pas de Jugement dernier, tant il est peu probable que le destin choisisse une si petite année pour porter son grand coup.

L'an 2001 sera une petite année et les petites années ne nous intéressent pas d'emblée.

Mettre le temps en boîte, le penser, l'imaginer, le commenter, sont une affaire exclusivement humaine. Mais le sujet est si vaste que nous préférons réduire le champ de nos visions et le cadre de nos discussions. En l'an 2000, il nous aurait été donné de réfléchir plus longuement sur notre convention calendaire. Nous aurions pu faire le point sur cette convention. Nous savons qu'elle est récente et qu'elle n'est pas encore universelle. C'est le compte de l'Occident, qui ne s'en sert que depuis huit cents ans.

Les êtres humains ont toujours remarqué le cycle du soleil, les cycles de la lune, les intensités successives de la lumière. Oui, les saisons sont archétypales. Le cycle annuel aussi. Nous sommes tous des Terriens après tout et nous avons des yeux pour voir, une tête pour penser. Nous avons depuis toujours une sensibilité cosmique et, contrairement à ce que l'on raconte aujourd'hui, les anciens étaient moins dupes que nous quand ils regardaient le ciel. Le calendrier cosmique fondé sur le retour des saisons et de l'année finit par nous faire voir le monde telle une roue, jetant par là les fondements de la philosophie païenne de l'éternel retour. Si les saisons sont éternelles, l'année de notre calendrier est conventionnelle, c'est-à-dire culturelle. À la convention du calendrier, toutes les cultures ne furent pas invitées. Au contraire. Cela nous conduit à une drôle de remarque : le calendrier que nous utilisons et qui nous situe en l'an 2000 par pure abstraction se trouve être le chrono de la domination de l'Occident sur le monde entier. Voyez-vous Colomb expliquer aux Taïnos des Bahamas qu'il s'en vient leur donner l'heure juste ? « Nous sommes, mesdames, messieurs, en octobre 1492. Et vous, où en êtes-vous rendus ? »

Avons-nous à l'esprit ce genre de malentendus ? Je crois bien que non, comme nous avons oublié que c'est l'Europe qui a imposé son calendrier au monde entier, celui du temps de la spoliation, du brigandage universel que l'Occident a toujours nommé Progrès. C'est une manière de dire à l'autre à quelle date nous entendons le faire mourir. On n'arrête pas le progrès, comme on n'arrête pas le temps qui passe et qui appartient exclusivement à l'Europe. Le temps est européen à partir du moment où l'agenda mondial est européen. Pourquoi un calendrier domine-t-il tous les autres ? Depuis quand ? Le compte de nos années est le simple décompte de la déconfiture des mondes au profit d'un seul. Ces grandes dates que l'Occident célèbre, ce sont les dates de ses propres victoires sur les autres, pour qui les mêmes dates en sont venues à signifier le deuil. Soumettre l'autre, le voler, le détruire, c'est aussi brûler son agenda, sa mémoire, son rapport au temps, ses chiffres à lui.

Mais plutôt que de faire véritablement le point sur cet énorme problème historique, nous en sommes simplement restés au bogue de l'an 2000. Comme calamité mondiale, nous aurions pu trouver mieux pour exciter nos peurs. Toutefois, nous avons les peurs que nous méritons. Le bogue, c'est nous. La chose montre bien jusqu'à quel point notre imaginaire est malade. La santé de nos ordinateurs conditionne désormais la nôtre, et un dérèglement des systèmes informatiques nous fait plus peur que les intentions du diable, que la peste, la famine, la sécheresse, les inondations, la révolte des pauvres.

Ainsi, en l'an 2000 qui s'achève, nous ne nous sommes pas vraiment penchés sur le temps ; l'occasion était belle pourtant. Voyant que le bogue ne se manifestait pas, nous sommes retournés à nos affaires, dans le confort de nos certitudes. Nous sommes retournés à la programmation régulière. Nous nous sommes crus vraiment en l'an 2000. Mais quand on y réfléchit, le temps ouvre une porte sur l'infini… Nous ne sommes pas en l'an 2000, nous ne serons jamais en l'an 2001 ou 2011 ou 2021, cela tombe sous le sens. En vérité, nous ne savons pas du tout où nous en sommes dans l'univers du temps et de l'espace.

Alors, que dire d'une nouvelle année qui commence sinon qu'il faudra bien aller travailler, inscrire les enfants à l'école, inhumer les morts, entretenir sa voiture, payer régulièrement son hypothèque, prendre ses vacances annuelles, d'un coup ou par petits coups, fêter les anniversaires d'un certain nombre de gens, traverser la déprime de novembre, fêter Noël et le jour de l'An, puis l'euphorie du printemps ? Que dire de plus sinon que cette année, on le souhaite, sera pareille à la dernière, en mieux de ce que chaque année a à offrir, c'est-à-dire du simple temps de vie ? Un supplément de vie, voilà ce qu'est l'année supplémentaire, celle qui s'ouvre devant nous et que nous nous félicitons d'atteindre.

Le plus grand danger qui nous guette, c'est la routine. C'est souvent à cause d'elle que les avions tombent, que les accidents surviennent. Quand les pilotes des gros-porteurs entreprennent leur 4 597e traversée de l'Atlantique par un soir de novembre, alors qu'il ne s'est rien produit depuis trente et un ans, jour après jour, nuit après nuit, ils ne s'attendent pas à ce que l'improbable survienne justement ce soir-là. L'improbable, qui est toujours improbable, l'est doublement quand on ne l'attend pas. Toute année nouvelle est dangereuse dans la mesure où personne ne la voit venir et qu'on la pressent comme toutes les autres, sans éclat. Elle est dangereuse, car elle n'annonce rien. Mais nous devrions savoir que le pire ne s'annonce jamais. Et nous entreprenons la durée en nous disant que le pire qui puisse nous arriver est que nous soyons bouffés par l'ennui. Nous sentons monter en nous cette fatigue des petits lundis. L'esprit se relâche, la répétition nous engourdit, les années passent, c'est le cas de le dire, et le poids s'accumule sur nos dos de plus en plus voûtés. Cela s'appelle justement le poids des années.

La nuit du 1er janvier dernier, j'observai une épinette de ma connaissance. Pour elle, cette nuit-là n'avait rien de spécial. C'était une nuit comme les autres. La nature sait que tout arrive et que tout peut arriver. Mais elle ne s'excite pas pour autant. L'épinette sait qu'elle ne peut rien contre le vent si le vent se met en frais de la déraciner. Elle ne peut rien contre la compagnie forestière qui se prépare à la récolter. Le sapin ne peut rien contre Noël.

En attendant, nous avons oublié les anciennes sagesses. Plus nous comptons les années qui s'empilent, plus elles deviennent lourdes. Nous avons oublié que pour s'inscrire dans le temps, il faut apprendre à mourir régulièrement, conscient d'appartenir à l'univers et d'en partager le destin.

Je préfère l'agenda du mélèze à celui de l'être prisonnier de ses horaires arbitraires, de ses déplacements planifiés et de son temps fabriqué. Si le mélèze comptait ses heures et ses années, s'il se croyait en 2001 ou en 2011 après la naissance d'un Mélèze venu racheter les péchés des mélèzes du monde entier au nom d'un père mélèze qui pousse dans le ciel, alors je crois que le mélèze s'ennuierait. Il remarquerait son immobilité, il saurait son âge et refuserait de vieillir. Il trouverait sa routine insupportable, il irait même jusqu'à maudire ses racines pour mieux envier l'olivier. Or le mélèze, qui n'est pas en 2001 ni en 2011 et qui ne se soucie guère de nos calendriers et de nos ambitions, ne maudit ni ses racines ni la perte de ses aiguilles en automne. Il participe à la symphonie du monde, il joue sa partition, il sait qu'il va tomber mais que la terre le reprendra, qu'il renaîtra dans l'œil d'un cheval, dans la tige d'une fleur de ruisseau, dans le métal luisant du vieux pare-chocs d'une ancienne machine. On ne sort pas de l'univers, disaient les anciens philosophes chinois et les vieux penseurs de l'Inde. Pour voyager très loin et être plus rapide que l'éclair, il suffit de s'asseoir sur une pierre et de réfléchir quelques secondes. On ne sort pas de l'univers parce que l'univers est trop grand. Il est grand comme le temps dont il dispose.

Notre manière de voir le temps fait partie de tous les symptômes de notre grande platitude. La datation moderne du monde nous éloigne de notre propre nature. Comme si nous nous dirigions vers quelque part en bon ordre de marche, nos montres ajustées, comme si nous allions vers un but et que ce but était rigoureusement fixé. Nous sommes prisonniers d'une colonne de chiffres morts et désincarnés. La fourmilière humaine marche désormais vers son destin chiffré, incapable de se relier au souffle cosmique du monde. L'an 2001 suit l'an 2000 et précède l'an 2002. C'est plate, mais c'est comme ça.

Janvier 2001

Une petite ville dans le lointain

Pour voir le ciel, il est bon d'être loin, d'être seul, d'être hors de la lumière trop intense des grandes réunions d'hommes. C'est une question d'échelle. C'est une question d'espace aussi. Quand une ville est petite, seule, éloignée et laissée à elle-même dans l'écart, c'est-à-dire écartée, le ciel s'offre alors à elle dans toute sa profonde noirceur, il en vient même à habiter l'esprit des gens, il est pénétrant.

Nous connaissons la tradition des villes frontières, des villes champignons qui naissent tout d'un coup, qui apparaissent, pour une mine ou pour une autre, marquées dès le début au coin de l'éphémère, mais qui ne meurent pas, qui s'éternisent dans leur solitude, toujours surprises d'être ailleurs et si loin, reprenant constamment le racontage de leur trop courte histoire. Surprises aussi de toujours être là, d'être encore et simplement là ; alors, elles se mettent à perdurer, à mourir d'inquiétude, et l'inquiétude n'est rien d'autre que l'angoisse permanente de leur fermeture, qui est leur mort, comme on sait. Au fil du temps, la solitude augmente, elle se creuse, et le fil du temps, justement, se met à lier les choses. En face d'une pareille nuit, la société peut bien être tricotée serré. Gens et choses s'attachent et il devient difficile de garder l'anonymat, de passer inaperçu. Tout le monde sait tout de tout le monde. Pas moyen de faire un pas dans la neige sans que la trace soit commentée.

Il en faut, de l'espace, pour être ainsi perdu. Or, de l'espace, il y en a. Malgré le train, malgré l'avion, les routes et les camions, loin demeure loin. Coincée entre terre et ciel, la petite ville isolée est comme un havre au milieu de la mer, une île dont on a bien vite fait le tour. Voilà un lieu qui sera un cercle, un petit trou rond dans l'infinie forêt. La ville isolée, c'est un peu l'histoire ancienne du monde dans ses rapports avec l'immense. Nous voilà hors du monde, à l'extérieur de la normalité, dans des régions dites sauvages, peuplées de pionniers à l'aventure, chacun en train de refaire ce que l'humanité n'a jamais cessé de faire, c'est-à-dire voyager dans l'espace et être là où les autres ne sont pas.

La ville ermite attire les malheureux, les accidentés de la vie, les ambitieux aussi, beaucoup d'âmes qui essaient de se faire oublier ou qui tentent désespérément de se pardonner à elles-mêmes. La population locale est assez colorée. Voilà le monde en résumé. Cette marginalité se retrouve partout où il y a de l'espace pour se perdre et encore plus pour se retrouver. On se répare, on se refait, on attend, et on s'installe dans le vouloir-revenir.

Le Nord est le lointain. Il n'a jamais cessé d'attirer les âmes en peine. La forêt a toujours été le refuge de la marginalité et les grands espaces portent bien leur nom : ils sont grands à n'en plus finir. Nous avons l'éternelle nordicité, nous avons la forêt sauvage, la profonde laurentienne et l'infinie boréale, jusqu'à la toundra, et nous aurions mille sagas à raconter à propos de nos aventures, si nous nous y mettions, si seulement nous voulions le dire pour en faire toute une histoire. Matagami, Joutel, Chibougamau, Chapais, Gagnon, Wabush, Schefferville, Murdochville et combien d'autres places, plus petites, plus éphémères encore, autant de lieux et chacun de ces lieux a un mystère et un drame, des espoirs et des désespoirs, des destins uniques et des routines banales.

Qui n'a pas ressenti l'esprit d'une place en débarquant de l'avion ou en arrivant tout simplement dans ces endroits du bout du monde, là où rentrer et sortir est un problème ? Ici, les distances ne sont pas abolies, elles ne sont pas choses du passé. Même que l'isolement augmente en proportion des grandes concentrations de la modernité. Plus le monde rapetisse, plus l'éloignement s'éloigne. Rien n'est pareil même si tout se ressemble. L'air est plus vif, la lumière est différente, le ciel encore, et le temps et les distances qui sont les rois et les maîtres des lieux. L'instinct nous dit que cet ici est bel et bien un ailleurs. La nature est toujours dans votre dos, elle est toujours dans votre face, autant dire qu'elle enveloppe tout. La nature vous humilie, vous défie. Cette vie qui pourtant s'anime est imprégnée d'une grande solitude.

Il y a l'argent, nous sommes ici pour *donner la claque*, nous sommes venus pour le salaire du lointain, et les villes isolées sont souvent le résultat d'une ruée soudaine où les promesses de l'aube étaient hier encore mirobolantes. Le temporaire, c'est simplement le temps de s'enrichir, ce qui bien sûr est un piège puisque la partie n'est jamais vraiment finie. Les petites villes perdues se souviennent toutes de leur fringant début, chacune parle de son eldorado, là où tout a commencé. Puis il y eut des bas, puis une reprise, un autre échec, et ainsi de suite. La ville va de murs frappés en murs frappés, d'obstacles répétés en obstacles insurmontables, vents contraires qu'elle finit par surmonter, en tenant bon tout simplement. Être, c'est durer.

Il y a la télévision, cet œil ouvert qui met un monde en images ; ce monde n'existe pas, mais il vient quand même s'infiltrer dans l'imaginaire de tous ceux qui passent leur temps devant le petit écran. On regarde beaucoup la télévision, quand on est loin. Et le monde vu de loin prend l'allure d'une télésérie. Des intrigues, des fictions délirantes, des méchants, des suspenses, toutes ces histoires ont un effet à la longue. On devient lentement ce que l'on voit au fil du temps, c'est-à-dire une irréalité agissante, toujours plus décrochée de ce qui est autour, à la portée. On se passionnera des ours de la télé sans se soucier des ours qui sont juste à côté, dans la cour.

Il y a la laideur, ces architectures paléotechniques dont l'ancienneté est terriblement jeune. Rien n'a été fait pour durer et pourtant le temps passe. Dans ces conditions, il ne faut pas beaucoup d'années pour que tout rouille, traîne, se débâtisse, laissant l'impression que l'on se fout du lieu, que l'on abandonne ce qui sera de toute façon abandonné. Des tuyaux, des morceaux de métal, des matériaux temporaires, des façades prématurément vieillies, des arrangements qui imitent ce qui se fait ailleurs mais qui tournent à la copie dérisoire, des faux parcs, des fausses tentatives. Ici, tout avorte.

Quand on cherche de l'or, c'est dur de rouler fer sur fer. Le lointain est une source, c'est aussi un delta. Voilà un cours, un filon, un passeport qui nous ouvrait la route vers la plus belle des beautés. Nous aurions pu être si beaux, en effet. Mais les yeux, au lieu de s'ouvrir, se sont fermés. En face de la Voie lactée, nous avons érigé nos murs de tôle ondulée. Nous sommes des chercheurs d'or qui n'ont jamais rien trouvé. Ce qu'il est pauvre, l'Eldorado, au firmament des rêves brisés.

Février 2006

Éloge de la platitude

Les humanités de tous les âges ont longtemps conçu le monde tel un disque plat. L'idée générale d'une terre sphérique ne remonte qu'à deux mille ans, en somme. Il est curieux de constater le fait suivant. Quand la terre était plate dans l'esprit des gens, le temps, lui, était circulaire, il s'appuyait sur le mythe de l'éternel retour. Les Anciens fumaient calmement la pipe de leur paix d'esprit. Mais depuis que nous savons que la terre est ronde et que nous en avons fait la preuve en en faisant le tour, voici que le temps est devenu linéaire. La flèche du temps trace une ligne plate et le décompte est inéluctablement invariable. Une unité suit l'autre. Il n'est pas exagéré de soutenir que les temps sont de plus en plus plats depuis que l'Univers est courbe. La vérité a ce défaut : elle est toujours plus plate que le mystère.

Soit ! le Big Bang fut divertissant. Mais depuis, les choses traînent en longueur. Il est des roches et des pierres qui s'ennuient des temps passés où elles vivaient des événements remarquables, des voyages métamorphiques, des sauteries volcaniques, des chaleurs telluriques et des glissades de lave, quand ce n'était pas le plaisir suprême de l'impact météoritique. Cependant, les roches connaissent d'interminables intervalles et quand rien ne se passe plus, même les roches rondes se trouvent plates. La Lune, pour ne parler que de la Lune, n'est pas un objet excité. Quand l'Univers sera vieux, dans 50 milliards d'années, la distance séparant les amas, les nébuleuses, les galaxies et les objets sera si grande que le noir séparant les points lumineux effacera toute lumière. Les étoiles seront aveugles les unes aux autres parce que le noir aura tout noirci. Nous serons bien avancés. L'expansion de l'Univers connu est l'annonce d'une immense solitude, d'un isolement glacial dans le milieu de rien. Or, voilà la finalité du monde : l'érosion, l'épuisement, l'aplatissement. Car il est clair que l'Univers manufacture du rien à la vitesse de la lumière, il fabrique du vide à la mesure d'une énergie qu'il disperse à l'infini. Nous sommes un mince filet entre deux néants : le temps passé qui s'accumule, et le futur qui est si creux que nous ne parviendrons jamais à le meubler. Après cela, on se demande pourquoi nous nous cherchons de l'ouvrage. Le néant est si plat que la lumière y meurt d'ennui.

Cet espace n'est rien d'autre que du temps, ce temps précieux qui finit toujours par nous manquer. L'Univers est routinier. Nous devrions envier la Lune et sa mer de Tranquillité, car la platitude est tout ce qu'il nous reste. La vie s'accroche à son étoile comme la pierre à sa montagne. Remercions le ciel de ne pas nous tomber sur la tête. Que la terre soit ronde ou plate, cela revient au même. Le temps file et il tisse la toile de notre réconfort. Vive le plat qui nous garde d'équerre !

Les plaines sont la représentation physique de la platitude. Entendez Brel chanter la Belgique. Le plat pays qui est le sien se chante lentement, en autant de longueurs et en calmes refrains. Non, la Belgique n'est pas la Suisse. Les chants de montagne sont tyroliens, hautes notes et poumons pleins. Les chants de plaine sont des chants bas, plaignards, languissants, comme ceux des bateliers de la Volga. La plaine attire la plainte, la montagne les sons aigus. Étouffante platitude qui est le berceau argileux de toutes les nostalgies. Gens des plaines ne sont pas gens des plateaux. Les Indiens des Grandes Plaines américaines, quand même, en connaissaient un bout sur la platitude géomorphologique. Leur topos était on ne peut plus en ligne avec l'horizon lointain. La grande prairie est plate pour aussi loin que porte l'œil humain. Le ciel s'écrase sur la terre. Mais les Indiens y virent la liberté, la course sans fin, la longue distance sans entrave et l'immensité des cieux. Oui, dans la plaine, le ciel prend tout son sens. La plaine laisse toute sa place à l'espace et elle donne son plein sens à la route, à la voie, au chemin, à la piste. Le plat étant le royaume de la mobilité, il est normal de s'installer dans sa propre course.

La platitude est idéale pour les rebonds. Il faut que plancher soit plat pour que ballon rebondisse. On ne joue pas au basket par monts et par vaux. Or, encore une fois, soulignons que la vie est une suite de rebondissements. Plus l'espace est lisse, sans entrave, plus il est possible de bondir et de rebondir sans frapper de murs. Plus c'est plat, plus il y a de manœuvres possibles. À ce titre, c'est connu, les montagnes sont des murs contre lesquels nous butons. L'avion se pose dans la plaine ; dans les montagnes, il s'écrase.

C'est le plat qui fait le relief. Que serait la montagne si elle n'avait la plaine pour lui donner du relief et de la personnalité ? Cela est un immense problème, une question fascinante. Tout se mettra à exister en raison de la présence de son contraire. La terre est d'autant plus ferme que l'océan est liquide. Le froid est d'autant plus coupant que le vent pourrait être si doux. Et la montagne est d'autant plus visible quand elle se découpe sur fond de plaine. C'est la magie de la platitude que de toujours promettre son contraire. Qui s'installe dans la tranquillité de son ennui et l'accepte volontiers comme un état souhaitable se place dans l'enviable position d'avoir à jouir de tout. Le moindre sera remarqué. Cela s'appelle l'essentiel. Celui ou celle qui cultive l'essentiel verra qu'il est plus facile de s'émouvoir quand notre sensibilité est entraînée dans le sens du plat de la routine. De la visite rare est toujours plus précieuse qu'un va-et-vient continu de fêtards. Le moindre petit détail est apprécié à sa juste valeur, nul ne manque rien de rien quand le rien est son pain quotidien.

Bref, nous traitons injustement l'ennui. Ne rien faire, n'avoir rien à faire, n'aller chez personne et n'attendre la visite de personne, autant de choses honnies, détestées sans que nous sachions vraiment pourquoi. Nous vivons dans un monde si excité que plus personne ne sait pourquoi il danse et après quoi il court. Je soutiens au contraire qu'il est heureux celui qui peut se permettre d'arrêter. Il faut du temps pour soi. Car ce qu'on appelle des creux, ce sont en réalité des calmes. Le calme plat a bien des avantages sous-estimés. Il permet le saint repos. Quand le navire de votre vie s'arrête sans que les voiles aient été baissées, sans que l'ancre ait été jetée, c'est que vous êtes arrivé en quelque havre inattendu, un havre de paix. Plutôt que de craindre l'ennui comme la peste bubonique, nous devrions faire honneur à ces calmes plats, à la platitude des heures bénies où il nous est enfin permis de respirer à l'aise. Le cœur a ses routines, nos poumons aussi. Respirer à l'aise veut dire respirer profondément et régulièrement. C'est toujours dans la tranquillité que l'on réalise le véritable vœu de la rencontre avec soi-même, la conversation tant recherchée de soi avec son âme. Il est rare que les sages soient des paquets de nerfs, que les sages soient du « monde de party ». Pourtant, nous menons nos vies comme s'il était impératif de meubler tout notre temps, comme s'il était tragique de n'avoir rien à faire. L'âme aime la tranquillité. C'est elle après tout qui va la négocier, l'interminable éternité.

Je vous raconte cette histoire. L'État de Géorgie, le Georgia State des États-Unis, fut fondé par un dénommé Oglethorpe. Il arriva en Amérique vers 1733, alors que ses états de service en Europe étaient déjà fort longs. En matière de politique, d'idées et de faits d'armes, il était hautement respecté. Il avait cinquante ans quand il entreprit de développer cette colonie au nom d'une société en fiducie anglaise ; les premiers colons étaient des gens emprisonnés pour dette, dossier sur lequel Oglethorpe avait travaillé en Angleterre en dénonçant les lois injustes qui permettaient cette pratique. La colonie représentait une issue digne en ce que les colons pouvaient rembourser par le travail une dette qu'ils ne pouvaient pas régler en restant en prison. La colonie de Géorgie était en grande partie le pays de la nation creek. Oglethorpe dut négocier avec le chef des Creeks Savannahs, le vieux Tomo-Chichi. Ce dernier avait quatre-vingt-dix ans quand il rencontra Oglethorpe. Ils s'entendirent fort bien. Tant et si bien qu'Oglethorpe invita Tomo-Chichi à rencontrer le roi d'Angleterre. La scène se passa en 1735, au Kensington Palace. Alors âgé de quatre-vingt-douze ans, au terme d'un voyage de deux mois en mer, Tomo-Chichi se préparait à la rencontre en revêtant ses plus beaux atours creeks, avec plumes pendantes, veste de daim, de cerf de Virginie, mocassins et tout. Mais il avait, selon sa tradition, les deux fesses à l'air, peintes de motifs représentant le pouvoir et la guerre. Le protocole de la Cour anglaise le dissuada avec la plus grande des difficultés de se présenter ainsi devant Sa Majesté. On ne rencontre pas le roi les fesses à l'air. Mais Tomo-Chichi trouvait de son point de vue inconvenant que le roi soit assis sur une tribune alors que lui parlait à partir du plancher. Bref, des malentendus comiques mais bourrés d'enseignement. Tomo-Chichi revint sain et sauf en 1736, à quatre-vingt-treize ans, de son voyage européen. Plus tard, il participa à la guerre contre les Espagnols dans le nord de la Floride et c'est lui qui rallia la nation chickasaw aux Britanniques. Il mourut centenaire, les fesses toujours à l'air. Quant à Oglethorpe, son ami, puisqu'ils le furent, il poursuivit son dessein colonial, s'opposant notamment de toutes ses forces à l'établissement de l'esclavage dans la colonie de Géorgie. Il perdit son combat en même temps que ses illusions et il rentra en Angleterre. Plus tard, alors qu'il atteignait l'âge de quatre-vingt-dix ans, on le pressentit pour prendre le commandement des armées britanniques en Amérique lors de la révolution américaine. Sa candidature fut rejetée sous le prétexte qu'il était trop humain pour faire le travail. Oglethorpe mourut centenaire, lui aussi, en parfaite santé, dit-on. La morale de cette histoire irait comme ceci : les histoires les plus intéressantes sont celles que nous ne racontons jamais. Il est tant de films que nous n'avons pas encore tournés, tant d'histoires que nous avons carrément oubliées. Lisez entre les lignes des grandes épopées, dans l'infrahistoire, et vous verrez se démarquer des personnages beaucoup plus remarquables que ceux que l'on tient d'habitude pour extraordinaires.

Nous vivons cent ans, nous en vivons vingt, comment juger

du temps humain ? Toutes les vies ont le suspense du passage. Le temps ne juge pas de l'Ordinaire et de l'Extraordinaire. La seule différence entre la sagesse du sage et la « follerie » du fou, c'est l'angoisse tranquille du premier. Et la tranquillité est une grande vertu, quand on pense aux aléas du destin. La tranquillité repère le détail important et la routine fonde autant l'histoire que les révolutions.

Je reviens sur cette idée. Je suis un grand lecteur de Vladimir Jankélévitch, le philosophe. Il a vécu le XXe siècle, à Paris, à l'ombre de tous les Sartre (l'excité du bocal) de ce monde. Juif russe devenu français jusqu'à la moelle, musicien, pianiste virtuose, Jankélévitch n'a jamais cherché à paraître à l'avant-scène. Il n'a pas été populaire, comme on dit. Il chérissait sa routine, n'a jamais voyagé beaucoup hors de l'Île-de-France où il avait un appartement, allait régulièrement donner ses cours à l'université. Il écrivait des livres philosophiques et il jouissait de la musique qu'il aimait tant. Jankélévitch est le grand philosophe des petits riens. Son écriture est longue, calme, interminable, sa pensée est circulaire et répétitive. Sage ermite qui médite dans le creux de son appartement parisien, insensible aux modes et aux brouillages de l'actualité. Il dit : le sens profond se cache dans les événements en apparence les plus insignifiants de notre vie. Les grandes tragédies héroïques et les grands moments de l'histoire épuisent vite leur signification et surtout, ils appartiennent à un passé que nous savons étranger à nous-mêmes. C'est dans la symphonie domestique que se terre le sens profond de nos vies. Tout est intime. La vie de tous les jours est la plus riche et c'est l'ordinaire qui porte « l'authentique merveilleux ». Notre seule espérance est de transformer l'ennui en puissante nostalgie. Parce que nous sommes des animaux nostalgiques. Il faut regretter le passé, espérer le futur. Nous n'avons pas le choix. La vraie patrie est ailleurs. Nous regretterons toujours notre jeunesse, et la sagesse consiste à comprendre que nous ne pouvons rien contre le temps qui nous emporte ailleurs. Inutile de s'exciter, la routine est la grande aventure héroïque de ceux et celles qui ont compris.

Depuis des années je dis que si j'avais à refaire ma vie ailleurs, je la referais à Pittsburgh. C'est une conviction plus qu'une boutade. Si nous ne faisons jamais de pèlerinage à Détroit, c'est que nous continuons à croire aux mensonges de Venise. En général, nous sommes plus de Détroit que de Paris, mais Paris exerce toujours sa magie. Ce qui est un leurre. Même à Venise, le défi du quotidien se pose et cela existe, un Vénitien au fil des jours ou un Romain qui meurt d'ennui. Cela existe aussi, un Parisien qui trouve le temps de Paris trop gris, la ville trop animée, le métro trop odorant, et ainsi de suite. Le Vénitien partira en Chine, le Parisien à l'autre bout du monde, pour fuir la platitude d'un lieu où d'autres viendront pour se changer les idées. Où l'on voit que la platitude de l'un sera l'émerveillement de l'autre. Tout est relatif à ce que l'on fuit. Ce que nous ne voyons plus, ce que nous ne voyons pas, ne peut nous émouvoir. La platitude, nous la fuyons comme si la fuite était possible. Alors qu'il est clair que la fuite est impossible. Ce qu'il nous est possible de conserver, de cultiver, c'est notre sens de l'émerveillement. Alors, le goût de fuir s'estompe, quand tout nous émeut dans l'apparente insignifiance des choses. Je regarde passer les avions, les camions, les autobus, les bateaux, je regarde pousser les arbres, voler les oiseaux, je regarde les nuages, les gens, les moindres animaux, même le loup commun. Pas besoin d'un panda dans ma mire pour faire ma journée. Pas besoin de Capri pour mourir. Je ne viendrai jamais à bout d'épuiser la richesse des merveilles de ma propre cour. Je crois qu'à Pittsburgh il y a des trésors à découvrir, des gens, des rues, des parcs, un restaurant, un quartier, une équipe de football, des musées et des poteaux électriques.

Je prétends ainsi que l'ennui vaut plus pour notre bien qu'il ne vaut pour notre mal, en autant que l'on apprenne à rebondir sur lui, à s'en servir pour lire et entendre ce qui autrement nous échappe absolument. Toute cette affaire se rapporte au temps. Notre rapport au monde est un rapport au temps. Il faut savoir pencher dans le sens du temps, jouir de ses longueurs, regretter sa manie de passer, mais remercier le ciel à tous les bouts de champ d'en avoir encore un peu devant soi. La vie est un passe-temps, rien de plus, rien de moins. Je vois toute action pressante comme une insulte au temps. Il sera toujours temps, tout vient à point à qui sait attendre, la mort surtout. En attendant, le rythme est aussi lent qu'inéluctable. Il est bon que le temps soit long et ennuyant, il est bon que la plaine soit immense, que le paysage soit monotone. Car il est bon de comprendre l'éternité.

Je suis moi-même assez plate. Quand j'étais jeune, je jouais avec l'ennuyance. Ma voix endort. Je ne suis pas un excité.

Novembre 2009

La mort de Mumba

L'humour a un sens, cela s'appelle le « sens de l'humour ». Dans une société désorientée, il est normal que l'humour subisse un vent d'appel. Cet humour-là vient en quelque sorte combler un vide, il compense, il se glisse là où il n'y a rien. On raconte que nous vivons dans une société déficitaire sous le rapport du sens, mais le contraire se soutient aussi. Se pourrait-il que nous vivions dans une société de tous les sens, de trop de sens, assez pour que cela n'en ait plus vraiment ? Se pourrait-il que dans le foisonnement de cette jungle nous ayons fini par perdre le nord, d'où ce besoin animal de regarder la boussole de l'humour comme le dernier refuge, la dernière douille, la référence ultime ?

À un colloque sur l'humour au Québec, François Avard, coauteur de la très populaire série télévisée *Les Bougon, c'est aussi ça la vie !*, me posait la question : depuis quand rit-on ? La réponse n'est pas simple. Mais le sens commun ne nuit pas quand l'insoluble se présente. Des savants redoutables et obstinés se penchent sur la question, des philosophes et, bien sûr, des anthropologues se cassent les méninges sur la pierre dure de ce mystère : la naissance de la conscience, la venue au monde de l'intelligence, de la pensée réflexive, c'est-à-dire de la pensée réfléchie, ce cerveau qui se penche sur le cerveau qui pense. Où, quand, comment ? Mais surtout, que s'est-il passé au degré zéro de cette incroyable histoire ? Dans cette savane, sous un arbre, sur une colline, la nuit, en Afrique assurément, un être s'est mis à réfléchir, comme une lanterne qui s'allume, une flamme nouvelle, une première. Avant de parler, avant de dire un mot de ce langage articulé propre à la conscience, il est probable qu'il a souri. Peut-être même qu'il a ri. Sourire de satisfaction, rire de la liberté ? Le rire est vieux, il précède le langage.

Le chien branle la queue, le dauphin s'excite, le singe gesticule, mais les animaux ne rient pas. Jamais nous ne verrons un puma s'esclaffer devant un autre puma qui a raté son saut et qui culbute les quatre pattes en l'air, se retrouvant penaud et déconfit en bas de la falaise. D'ailleurs, je crois souvent que la condition simiesque est extrêmement frustrante : si près du rire, si près du dire. La grimace des grands singes est une grimace tragique, elle dit tout ce que les singes voudraient dire mais qu'ils n'arriveront jamais à exprimer. Voilà pourquoi les chimpanzés sont si touchants, ils n'ont plus que leurs yeux pour nous envisager et nous envoyer leur message. *Nous, les singes, sommes allés jusqu'aux portes de la conscience, juste de l'autre côté de la barrière, mais nous ne l'avons pas franchie. Quel malheur ! Nous y étions presque. Même libres et sauvages, nous sommes tristes et encagés. Pourquoi, homme, quand tu es passé de l'autre côté du mur, ne m'as-tu pas tenu la main pour m'emmener avec toi ?* Voilà ce dont les singes discutent dans leurs colloques à eux.

Oui, le rire est le propre de l'homme, comme le langage articulé. Le rire a son histoire, comme les langues parlées. Alors, depuis quand rit-on ? De quoi riait-on jadis ? Dans le temps et dans l'espace, quelles ont été, quelles sont encore les variations et les universels du rire humain ? Existe-t-il un rire noir, blanc, rouge, jaune ? L'humanité est l'humour même, elle est drôle *sui generis.* Nous sommes des animaux à sang comique. Un bébé naissant n'est pas encore un humain tant qu'un guili-guili ne l'a pas fait rire dans son berceau. Je te chatouille jusqu'à ce que je puisse vérifier si tu es vraiment *venu au monde.*

L'humour est donc une affaire très sérieuse, une chose grave, une très grande question pour qui s'intéresse à la nature humaine. L'humour est une forme supérieure d'intelligence, elle nargue la raison, c'est l'arme fatale contre les abus de clarté, de positivisme, d'empirisme, de causalité, de réalisme, de lumière et de rationalité. L'humour est le contrepoison de la clarté, ce soleil insupportable si bien décrit dans *L'Étranger* d'Albert Camus. L'humain qui ne rit pas est un humain en danger, ou bien un humain dangereux, ce qui revient au même. L'humour est une quête, un voyage, une recherche, une exploration. Il en va de l'humour comme de la poésie. Chacun croit sérieusement que ce sont des luxes de la vie, sans jamais réfléchir un instant que la poésie nous est aussi nécessaire que l'air que nous respirons, et que le rire est le soubresaut de l'âme.

Cependant, qui sommes-nous, sinon des êtres de grâce, d'élévation et de révélations ? Henri Bergson, Prix Nobel de littérature, ce qui est déjà assez drôle, a écrit des pages magnifiques au sujet de l'intelligence et de la création. Mais qui lit Bergson ? Il affirme que la raison peut devenir une pathologie de l'intelligence quand elle prétend occuper tout le champ de l'esprit. Il ajoute que l'esprit humain est beaucoup plus intelligent que la raison le prétend. L'intuition, l'émotion, l'appréhension synthétique par l'imaginaire et la poésie, toutes ces forces spirituelles agissent puissamment dans l'évolution créatrice de la pensée humaine. En cela, Bergson rejoint Descartes, oui Descartes, qui a écrit que la Poésie pouvait en une phrase résoudre une question que la Raison mettrait cent ans à embrouiller. Il était drôle, Descartes. Mais, en général, dans l'histoire récente d'un Occident prétentieux et impérialiste sous le rapport de l'intellectualisme, la Raison s'est fait un devoir de terroriser l'émotion, l'intuition et tout le reste. Elle a décrété « irrationnel » tout ce qui n'était pas elle. Or, la Raison n'est pas particulièrement drôle. Disons que l'humour n'est pas son premier sujet.

L'absence d'humour est un symptôme de certitude, de dogmatisme, d'intolérance, de mauvaise humeur, de production bilieuse provoquant la paralysie de l'esprit humain, ce qui conduit à la nécrose des canaux empathiques. Le rationalisme n'a rien d'original, c'est une certitude comme une autre. Il a en quelque sorte pris le relais des religions monothéistes, des religions pas drôles du tout. Car il ne faut pas rire de Dieu, de Yahvé, d'Allah. Les Talibans ne se demandent pas s'il y a trop d'humour en Talibanie. D'ailleurs, tout cela est si évident que la conclusion en est amusante. Qui aurait eu le courage de se moquer de la moustache d'Hitler en pleine réunion de l'état-major aryen ? Qui aurait pu rire de Staline dans une Union soviétique qui chassait les historiens universitaires dont les thèses soutenaient que les Russes étaient d'origine varègue plutôt que slave, et dites-moi si cela n'est pas absolument délirant !

Est-ce que cela existe, des dieux comiques ? Oui, chez les animistes et les polythéistes, chez les gens d'avant l'impérialisme des dogmatiques, chez les sauvages, les poètes et les païens, dans le monde normal, en somme là où l'humour et la poésie font naturellement partie de la vie. Le plus bel humour est celui qui se réclame de la pensée sauvage, si bien définie par Claude Lévi-Strauss. Car l'humour déconstruit et reconstruit, il recycle du vieux matériel, il associe des éléments en apparence épars mais qui s'emboîtent aux fils d'une architecture spirituelle et symbolique qui nous réunit, des associations irrésistibles et inattendues, des raccourcis, toutes choses bonnes à penser, pour le plaisir de rire ensemble. Jeux de mots, jeux d'idées, jeux d'images.

Le Carcajou mythique des Algonquiens est drôle, le Coyote des Pueblos est drôle, chez les Sauvages on aime rire. D'ailleurs, les peuples contrariés, ceux qui font face à l'obstacle, ceux qui reconnaissent humblement que l'humain frappe souvent un mur, ceux-là sont les peuples les plus drôles. Au Canada, il est notoire que les Terre-Neuviens ont un sens de l'humour absolument renversant. Car comment ne pas rire dans un pays où le brouillard et le vent intimident même les avions d'Air Canada ? Un des peuples les plus rieurs de la terre, le peuple des Inuit, n'a-t-il pas vécu et créé son monde culturel dans l'environnement naturel le plus dur et le plus cruel ? Les exemples pleuvent, du rire des Innus jusqu'à l'humour juif !

Condamner les sauvages, honnir les païens, haïr tout simplement les autres, revient à les déclarer irrationnels, possédés, envoûtés. La religion catholique ne niaisait pas avec le rire : grimace du diable, gesticulation démoniaque, perte de contrôle, *fou rire*. J'ai de très beaux souvenirs d'enfance de ces rires contagieux, incontrôlables, lorsque le prêtre élevait l'hostie ou s'apprêtait à la briser en deux, au moment le plus sacré de la cérémonie où nous devions pencher la tête sous peine de sacrilège. Alors, le fou rire nous prenait et Dieu seul, j'imagine, pouvait apprécier notre humaine humanité. Rire pendant un chant grégorien, rire au salon mortuaire, supposer un paradis drôle, une éternité comique, un Dieu de bonne humeur, quoi de plus naturel !

Nos campagnes électorales sont d'un ennui mortel, nos politiciens tristes à mourir. Il y a une raison à cela. C'est qu'ils ne sont pas drôles, tout simplement, ils s'en vont sans idées nouvelles, sans élan créatif. Aucun énoncé politique ne provoque l'adhésion festive et ludique, il n'y a que les journalistes spécialisés pour trouver la politique canadienne contemporaine d'un quelconque intérêt. Je rêve d'un humain politique dont les discours et les conférences de presse seraient courus pour le caractère exceptionnel de leur contenu. Un homme ou une femme politique qui nous amènerait ailleurs.

Sous mon gouvernement, les enfants deviendraient une priorité nationale, les vieux et les vieilles aussi, je me préoccuperais des ours noirs, des souris des bois, de la couleur des autobus, je donnerais des amendes au canal D chaque fois qu'il diffuserait un documentaire sur un meurtre non résolu au Minnesota, j'interdirais la présence du clown Ronald McDonald sur le territoire canadien (les enfants étant une priorité), et, tant qu'à y être, j'aurais mon plan vert. Sous mon gouvernement, les moteurs à piston deviendraient illégaux, les voitures automobiles aussi, nous importerions massivement des ânes du Cotentin pour assurer le transport des marchandises, la mobilité des personnes et les interventions ambulancières. Bref, je ralentirais la cadence tout en mettant un peu de piquant dans les débats publics. L'espace me manque pour exposer tous les tournants de ma pensée politique.

Lorsque je lis le journal, je m'ennuie tellement que je ne le lis pas vraiment. Je regarde les gros titres, c'est-à-dire les gros caractères. Ma vue baissant au rythme de mon intérêt, voyez comme la nature est bien faite, je ne m'attarde plus à lire des éditoriaux sérieux et prévisibles, des textes de chroniqueurs hoqueteux et nombrilistes dont j'imagine le teint olivâtre, des résultats d'enquêtes ridicules et des analyses de sondages pathétiques. Même la page des chiens écrasés devient répétitive. Et la section Santé rejoint celle des Affaires : profitez pleinement de votre retraite, l'espérance de vie augmente, cela n'existe plus, être vieux. Je me tords de rire quand on me propose d'être actif et dynamique à quatre-vingts ans, en train de dépenser un fonds de pension qui me permet d'aller à Venise au printemps, au Costa Rica en hiver, je rigole quand on me propose une vieillesse à jouer au golf, à faire du trampoline ou de la plongée sous-marine. Pour mes vieux jours, je ne veux pas de ce charabia : je veux naturellement une berçante, la maudite paix et une loupe pour lire. Je veux que mes proches me protègent, me respectent et viennent me voir le moins souvent possible. Je veux la chance de la santé qui décline lentement, sans à-coups. Je veux jusqu'au bout conserver le sens de l'humour et garder le sourire pendant le naufrage. Il n'est rien comme le sourire du fusillé pour laisser un doute profond dans l'esprit de peloton d'exécution.

Cependant, l'autre jour, un article du journal de l'ennui a véritablement attiré mon attention et, pour la première fois depuis des lunes, je l'ai lu. Dans l'actualité si morne, le titre était irrésistible : *Mumba a rejoint le paradis des gorilles.* Qui donc est ce Mumba et pourquoi sa mort est-elle si triste ? Mumba est né en 1960, quelque part, en un lieu que l'article ne mentionne pas, mais qui aurait tant intéressé le bon lecteur. Pour une raison inconnue, le bébé Mumba s'est trouvé orphelin et il a été adopté par un couple d'humains, un homme et une femme de Granby, dans la province de Québec, au Canada. Déjà l'affaire est extraordinaire. Un bébé gorille aux portes de l'Estrie ! À Granby, aux premières années de la Révolution tranquille, vivait donc un petit gorille qu'un couple élevait comme un petit bonhomme. Il portait des couches, se faisait faire des guili-guili, affection, tendresse et télévision en noir et blanc.

Mais un gorille est un gorille et celui-là ne faisait pas exception. En grandissant, il prenait de la place dans la maison. La décision fut prise de le confier au zoo de Granby. Bien sûr ! Et Mumba de s'installer dans sa loge pour le restant de ses jours. Dans le cours de ma vie, je suis allé à plusieurs reprises à ce zoo et j'ai bien connu Mumba. Des milliers et des milliers de gens comme moi ont connu Mumba. Mes enfants et un tas d'enfants que je ne connais pas ont rencontré Mumba. Il était le deuxième plus vieux gorille en cage du monde. Il s'est montré, jour après jour, il en a donné, des représentations. Puis il est mort, l'autre nuit, pendant son sommeil, dans son lit, de sa *belle mort.*

Sous mon gouvernement, les gorilles de nos connaissances auraient des funérailles nationales, la mort d'un vieil orme serait soulignée, nous aurions une commission permanente sur la beauté du monde, une autre sur la finitude de l'être vivant, et je ferais pression auprès de Canal D pour que Mumba soit le sujet numéro un de la prochaine série *Biographie.*

Le rire est un outil, c'est une arme redoutable, une arme à dix tranchants. On peut mourir de rire, tuer quelqu'un en se moquant. L'humour méchant existe, le mot est parfois assassin. Il reste cependant que sous son meilleur jour, il est fondamental, le sens de l'humour. L'échange d'un sourire entre deux inconnus ouvre la porte à ce que nous avons de plus beau. Rire ensemble tisse des liens profonds. Il est tant de sujets intraitables que seul l'humour peut aborder.

Nous sommes des créatures caricaturales, des êtres finis et dérisoires. De notre déconfiture, nous avons le pouvoir de nous moquer. Du fond de sa cage, Mumba le voyait bien, tout comme il a bien vu, pendant quarante-cinq ans, le sourire des enfants qui défilaient devant lui. Dans sa tête de grand gorille, il a bien dû ronger son frein : *pourquoi l'humain est-il si ridicule, pourquoi est-il si beau ?*

C'est son sourire, mon vieux Mumba, c'est son sourire.

Novembre 2008

Épilogue
Salut, Bernard

La mort nous surprendra toujours. Surtout quand elle survient. Bernard Arcand fut pris par cette surprise. Et nous sommes encore là, mais plus lui. Voilà que, simplement, il échappe à notre champ de mire, anéanti peut-être, parti assurément, à l'âge trop jeune de soixante-trois ans.

Il était grand et robuste, carrure de débardeur. Je l'ai connu en 1974, je me souviens de notre première rencontre. Lui aussi s'en souvenait, il en avait gardé la date exacte et me la rappelait parfois, comme pour me surprendre et me confirmer que cette date était importante pour nous deux. J'étais jeune encore, en quête d'un directeur de thèse pour mon doctorat. Lui, déjà, avait une belle réputation de chercheur. Dans son bureau de l'Université McGill, il représentait l'anthropologie naissante au Québec, une anthropologie fraîche, riche de tous les possibles. Bernard arrivait du Danemark où il avait entamé sa carrière de professeur. Il parlait le danois, ce qui est bien original, mais l'affaire est assez facile à comprendre. À Cambridge, où il avait fait ses études doctorales, il avait rencontré une étudiante danoise, Ula Hoff. Qui n'aurait pas appris la langue dans ces circonstances-là ? L'amour rend ingénieux. Et Bernard avait, du renard, l'intelligence rebondissante.

J'étais absolument impressionné, car je l'avais d'abord connu au cinéma, oui, au grand écran, dans le cadre d'un cours sur le cinéma ethnographique que j'avais suivi à l'Université Laval. La

BBC, je crois, avait réalisé un documentaire sur une population amérindienne de chasseurs en Amazonie où séjournait un jeune anthropologue parmi les Indiens cuivas. Très beau documentaire, en vérité. L'anthropologue n'était nul autre que Bernard. J'allais donc à la rencontre d'une vedette, un authentique jeune professeur qui s'intéressait aux sociétés de chasseurs-cueilleurs, qui avait étudié en Europe dans une université prestigieuse, vécu à Copenhague, fait du terrain en Amazonie, et qui revenait au pays en occupant un poste à l'Université McGill. De quoi rendre jaloux.

Et jaloux, je le fus forcément. Apprenant à mieux le connaître, j'en vins à tout envier de lui. Il était né dans un des plus beaux villages du Québec, Deschambault, son père avait été un pilote sur le Saint-Laurent, il parlait magnifiquement l'anglais avec un accent british, il avait fait son cours classique chez les Jésuites, au collège Sainte-Marie, il était grand, il avait des cheveux, il avait même joué un rôle de jeune premier dans un court-métrage de l'ONF. Moi, j'avais la calvitie précoce, j'étais un batailleur de l'est de Montréal, élève des Frères des Écoles chrétiennes, enfant du Mont-Saint-Louis. Mon père avait conduit des camions, ma mère était une athée, anticléricale avant la lettre, je n'avais rien d'un enfant des Jésuites. Mais, comme Bernard, l'anthropologie me consumait. J'étais un jeune ethnographe des Innus sur les terrains du Moyen Nord. Mon Amazonie, c'était le Labrador. Et parlant de camions, je venais, lors de cette première rencontre, lui demander de diriger ma thèse portant sur « la culture et le mode de vie des camionneurs au long cours ». Franchement, ce n'était pas donné, mais il avait vu ma passion des nomades et ma fascination pour les imaginaires.

Il fut un maître formidable. Malgré sa jeunesse (nous avions presque le même âge), il s'installa dans son rôle de professeur et s'intéressa à ma démarche comme si c'était la sienne. Il avait ce sens de l'écoute et de la repartie, mélange de doute et d'enthousiasme, qui fait avancer les choses. Dans les années qui ont suivi ma soutenance devant un jury très conservateur à l'intérieur des murs graves et sérieux de l'Université McGill, notre relation s'est poursuivie ; nous étions devenus des amis. Face aux universitaires réticents devant mon type de créativité, Bernard avait aussi fait « ma soutenance de thèse », avec une finesse que je n'ai jamais oubliée. La loyauté est une pierre précieuse.

Il a quitté Montréal pour Québec, devenant professeur au département d'anthropologie de l'Université Laval. C'était la belle époque et l'équipe de Québec avait de très bons joueurs. Moi, je suis parti sur les routes, tournant le dos à une carrière universitaire, dans l'intention naïve et avouée de pratiquer de par le monde « un métier qui n'existe pas ». Je « gagnai » ma vie en me présentant sur les places publiques comme un anthropologue. Pendant quelques années, nous nous sommes observés l'un et l'autre, lui dans son département d'anthropologie, moi dans mes courses folles. Le dialogue entre nous se nourrissait de la distance qui nous séparait. Il était riche de notre différence.

Bernard publia un livre en collaboration avec une de mes grandes amies, Sylvie Vincent : L'Image de l'Amérindien dans les manuels scolaires du Québec. *Malgré le titre assez technique, l'ouvrage est fondamental et précieux, il représente une grande contribution dans le monde universitaire. Bernard avait un vif intérêt pour le monde amérindien. Jeune étudiant, il avait connu un faux départ dans le Nord canadien : menacé de mort au Yukon par un Indien déné ivre et passant proche de se noyer en Ungava. Cela explique peut-être son goût de s'éloigner plus encore, d'aller vers le soleil, jusqu'en Colombie. Mais en Amérique du Sud, parmi les Cuivas, les affaires avaient été sérieuses et dramatiques. Les Indiens se faisaient tuer à vue, dans les années 1970. La thèse de doctorat de Bernard fut mise sous scellé pour cette raison précise, cacher l'information pour ne pas qu'elle tombe dans les mains des malfaisants. Bernard fut très actif dans l'élaboration d'une dénonciation internationale de cette grande tragédie.*

Puis, il publia un essai remarquable : Le Jaguar et le Tamanoir, *voyage intemporel et culturel dans l'univers de la pornographie. Dans cet ouvrage, Bernard donne sa pleine mesure. La publication de son essai lui valut le Prix du Gouverneur général du Canada, elle lui valut aussi une certaine notoriété dans ce qu'on appelle « le monde des médias ». Le sexe est un sujet puis-*

sant. Documentaristes, journalistes, recherchistes commencèrent à mander ses services. Et l'on vit sa « bonne bouille » apparaître sur nos écrans, c'était nouveau et divertissant. Dans un monde qui fait peu de cas de ses penseurs, personne n'a vu en Bernard l'apparition d'un intellectuel d'envergure, auteur d'un essai qui allait être traduit dans plusieurs langues. Ce qu'on a surtout retenu, c'est l'universitaire facile à insérer dans des clips de vingt secondes. Bernard était original et il avait le sens du punch. Il passait bien à l'écran.

Nous échangions beaucoup à cette époque. Bernard me confiait ses déceptions au sein d'un département d'anthropologie qui se sclérosait, cloître de faux combats entre collègues qui carburaient à la mesquinerie. Rien n'est pire que d'enfermer des anthropologues dans un bocal. Bernard étouffait et nos échanges continus furent en quelque sorte sa planche de salut. Mes misères dans le monde cruel de la « consultation » et du « conseil », mes tentatives pour exister, brelin-brelan, le faisaient rire, l'interrogeaient et le fascinaient. Je n'étais pas dans le bocal, j'étais dans l'océan et cette allure sauvage qui me définissait, mes problèmes financiers, mes revers, mes fatigues et mes cicatrices, mes voyages et mon rire en face de tout le fascinaient. Nous discutions sans cesse de mille et un sujets et nous le faisions dans la plus saine des bonnes humeurs. Deux ironistes, voilà ce que nous étions. Nous n'arrêtions pas de nous relancer dans l'ordre de la consolation mutuelle.

De mon côté, je me lançai dans l'écriture, pulsion oblige. Je publiai un ouvrage inclassable en 1991, Le Moineau domestique, recueil de petits textes sur des sujets improbables, tels « Le gazon », « La calvitie », « La condition physique », et ainsi de suite. Bien sûr, ce livre passa totalement inaperçu dans le milieu littéraire, dans le milieu culturel, dans le milieu tout court. L'œuvre d'un inconnu au genre nouveau ne saurait retenir l'attention de qui que ce soit. Mais Bernard, lui, était intarissable, il avait des commentaires à faire sur chacun de mes textes. Notre dialogue augmentait en intensité. Il avait cette qualité rare : il poussait la pensée plus avant. L'art de la conversation est un art perdu, Bernard savait dire mon contraire sans jamais simplifier, sans jamais pola-

riser, il dansait avec mes images et mes idées. Il ironisait sur mon ironie. Quel plaisir quand j'y repense !

François Ismert, réalisateur à la chaîne culturelle de Radio-Canada, avait lu Le Moineau domestique. *C'était à l'époque où les réalisateurs de radio avaient encore une marge de liberté dans la grande maison. Ayant pris contact avec moi, il me suggéra d'écrire des textes pour ses émissions ; qui plus est, entendant ma voix, il m'offrit un micro. Rapidement, après une année de collaboration, François me proposa une émission en bonne et due forme. Je craignais de me lancer seul dans l'aventure, c'était trop de travail. C'est alors que je proposai un duo : faire à la radio ce que Bernard et moi faisions constamment depuis des lunes, nous relancer et nous répondre dans une sorte de dialogue continu. Ismert donna son accord et cela donna* Les Lieux communs.

L'émission connut un beau succès, et nous avons tenu l'antenne pendant six ans. Il est impossible de rendre compte de l'impossible : encore aujourd'hui, je réalise à peine le plaisir qui nous entraînait ensemble dans la création de ces Lieux communs. *Il enseignait à l'université, dirigeait des thèses, faisait partie d'une Commission environnementale dans le Grand Nord québécois, était sollicité de gauche et de droite pour des documentaires ou des collaborations variées, et, chaque semaine, il écrivait ses vingt feuillets sur des sujets que je choisissais toujours, sujets qui le décourageaient joyeusement : « Le béton », « Les gros arbres », « Le pâté chinois », « Les étoiles » ou « Les portes ». Belle époque, profonde amitié, heureuse folie, force de l'âge. Nous nous retrouvions une fois par semaine dans un studio radio pour découvrir les textes de l'autre, puisque nous ne nous consultions jamais pendant nos rédactions. Lui, l'habile, l'érudit, l'ironiste aux démonstrations claires et intelligentes, à l'aise au quatrième degré du sens ; moi, l'intuitif, l'imagé, le paradoxal, le délinquant ; nous deux, à la recherche de tous les sens.*

Six recueils des Lieux communs *furent publiés par les Éditions du Boréal, plus un autre faisant la synthèse des* Meilleurs Lieux communs, peut-être. *Nous étions devenus inséparables, un véritable couple dans la création, faisant la promotion de nos livres ensemble, prononçant des conférences ensemble. Puis il y eut d'autres projets communs, des expositions au Musée de la civilisation, un livre,* Cow-boy dans l'âme. *Bernard donnait sa pleine mesure, il exerçait son regard et exprimait son « anthropologie » en explorant tous les domaines. Il publia, seul, un petit livre qui fut très populaire,* Abolissons l'hiver.

Comment rendre justice à un pareil cheminement ? Bernard Arcand a finalement beaucoup écrit. Il savait rire, mais surtout il savait déconstruire, examiner et reconstruire. C'était une sorte de structuraliste impénitent qui observait et commentait. Ensemble, pendant des années, nous avons contribué à vulgariser l'anthropologie. Le temps de Bernard était universel, son espace était immense ; derrière l'infinie diversité des genres et des cultures, il savait retrouver le fil élémentaire. Pour un nouveau lien dans les motifs de la pensée, il aurait donné son âme. Sur le soir d'une vie qu'il ne voyait pas s'écourter de façon aussi abrupte, il avait l'ambition d'écrire son plus gros ouvrage, l'édition finale de sa thèse de doctorat sur les Cuivas. Mais la mort l'a démenti.

Au-delà du divertissement, il y avait cet homme sérieux, de formation classique, dont chaque expression était fondée et travaillée. L'ironie est une forme mal connue de l'esprit. La belle ironie n'est jamais méchante, elle rend justice à la gravité qu'elle combat. Un jour, quelqu'un verra dans l'héritage anthropologique de Bernard Arcand tout le sérieux de l'intention. Bernard était un homme d'habitude, un routinier, un homme de famille ; c'était aussi un tenace ; il connaissait les vertus du travail et du travail bien fait. Il admirait les œuvres magistrales, les travaux savants, le beau et le réussi. Il savait la différence entre un bon livre et un mauvais livre, entre un bon film et un mauvais film, entre une bonne et une mauvaise conversation. Dans les circonstances de notre monde, il est facile de comprendre que c'était ce qu'on appelle maladroitement un « inadapté ». Qui se soignait bien. Car son esprit de finesse était un baume sur l'âpreté de notre temps.

Bernard Arcand avait un style. Il détestait la petitesse, l'étroitesse, la méchanceté inutile, l'intolérance et la gratuité des opi-

nions. L'humour fut son arme de prédilection, un humour créateur, protecteur et consolateur, un humour philosophique. Ce fut aussi sa dernière douille. Car la maladie foudroyante qui l'a emporté l'aura pris de court. Un mois avant qu'il n'entende l'effrayant diagnostic de la bouche de son médecin, nous rédigions notre chronique pour la revue Québec Science *sur les notices nécrologiques dans les journaux, leur nature, leur évolution, leur signification. Plus tard, se sachant condamné, il trouvait l'affaire assez drôle et il n'en revenait pas. D'ailleurs, au fil des années, nous avions tant écrit sur la mort — pour conclure, à l'instar de Jankélévitch, que sur ce grand sujet il n'y avait rien à dire.*

Il eut la délicatesse de me faire rire jusqu'aux adieux. Tant de gens nous confondaient en nous prenant sincèrement l'un pour l'autre : Bernard se faisait régulièrement féliciter pour sa belle voix à la radio et pour son émission des Remarquables oubliés *; moi, les gens m'appelaient Arcand et me parlaient du livre* Abolissons l'hiver, *qu'ils avaient trouvé bien bon. Selon Bernard, la mort s'était simplement trompée. Il y a, dans les pires moments des dernières conversations, une espèce de beauté qui transcende le mal et qui défie l'absurde. Cela reste un mystère. Je connaissais toutes ses faiblesses, et je croyais connaître toutes ses forces ; mais il en a révélé une à la fin, une que seule la vraie perspective de la mort peut nous révéler : le courage sacré en face de l'irréversible. Je savais l'ours fort, mais il l'était plus encore.*

Montaigne disait : philosopher, c'est apprendre à mourir. Mais Montaigne s'y connaissait aussi en amitié. Je n'attendrai plus un appel téléphonique de Bernard pour me réprimander amicalement à propos d'une de mes performances à la radio ou pour me pousser plus avant dans un sujet qu'il croyait prometteur. Il n'est pas bon de perdre son ami, mais cela se trouve, le plus simplement du monde. Et son absence s'ajoute au lot du reste de ma vie.

Janvier-avril 2009

Note bibliographique

À l'exception de « Le mélèze et la symphonie du monde » (paru dans le magazine *Châtelaine*), de « La mort est un chat » (dans un ouvrage collectif intitulé *Jamais de la vie*, Éditions du Passage), d'« Un été animal » (dans le journal *Libération*) et de « Salut, Bernard » (dans la revue *Recherches sociographiques*), tous les essais rassemblés dans ce volume ont d'abord été publiés entre 2004 et 2011 dans la revue montréalaise *L'Inconvénient*.

Table des matières

Crédits et remerciements

Les Éditions du Boréal reconnaissent l'aide financière du gouvernement du Canada par l'entremise du Fonds du livre du Canada (FLC) pour leurs activités d'édition et remercient le Conseil des Arts du Canada pour son soutien financier.

Les Éditions du Boréal sont inscrites au Programme d'aide aux entreprises du livre et de l'édition spécialisée de la SODEC et bénéficient du Programme de crédit d'impôt pour l'édition de livres du gouvernement du Québec.

En couverture : Canadian car, 1963. Archives de la Société de transport de Montréal.

Collection « Papiers collés »
dirigée par François Ricard

Jacques Allard
Traverses

Rolande Allard-Lacerte
La Chanson de Rolande

Bernard Arcand
et Serge Bouchard
Quinze lieux communs
De nouveaux lieux communs
Du pâté chinois, du baseball et autres lieux communs
De la fin du mâle, de l'emballage et autres lieux communs
Des pompiers, de l'accent français et autres lieux communs
Du pipi, du gaspillage et sept autres lieux communs

Denys Arcand
Hors champ

Gilles Archambault
Le Regard oblique
Chroniques matinales
Nouvelles Chroniques matinales
Dernières Chroniques matinales
Les Plaisirs de la mélancolie (nouvelle édition)

Margaret Atwood
Cibles mouvantes

André Belleau
Surprendre les voix
Notre Rabelais

Yvon Bernier
En mémoire d'une souveraine : Marguerite Yourcenar

Michel Biron
La Conscience du désert

Lise Bissonnette
La Passion du présent
Toujours la passion du présent

Serge Bouchard
Les corneilles ne sont pas les épouses des corbeaux

Jacques Brault
La Poussière du chemin
Ô saisons, ô châteaux
Chemin faisant (nouvelle édition)

André Brochu
La Visée critique

Ying Chen
Quatre Mille Marches

Marc Chevrier
Le Temps de l'homme fini

Isabelle Daunais
Des ponts dans la brume

Fernand Dumont
Raisons communes

Jean-Pierre Duquette
L'Espace du regard

Lysiane Gagnon
Chroniques politiques

Jacques Godbout
L'Écran du bonheur
Lire, c'est la vie
Le Murmure marchand
Le Réformiste (nouvelle édition)

Louis Hamelin
Le Voyage en pot

Jean-Pierre Issenhuth
Rêveries

Suzanne Jacob
Ah... !

Judith Jasmin
Défense de la liberté

Jean-Paul L'Allier
Les années qui viennent

Jean Larose
La Petite Noirceur
L'Amour du pauvre

Monique LaRue
De fil en aiguille

Robert Lévesque
La Liberté de blâmer
Un siècle en pièces
L'Allié de personne
Récits bariolés
Déraillements

Jean-François Lisée
Carrefours Amérique

Catherine Lord
Réalités de femmes

Gilles Marcotte
L'Amateur de musique
Écrire à Montréal
Le Lecteur de poèmes
Les Livres et les Jours, 1983-2001
La littérature est inutile

Pierre Nepveu
L'Écologie du réel
Intérieurs du Nouveau Monde
Lecture des lieux

François Ricard
La Littérature contre elle-même
Chroniques d'un temps loufoque

Mordecai Richler
Un certain sens du ridicule

Christian Rioux
Carnets d'Amérique

Yvon Rivard
Le Bout cassé de tous les chemins
Personne n'est une île
Une idée simple

Georges-André Vachon
Une tradition à inventer

Pierre Vadeboncœur
Essais inactuels

Virginia Woolf
Une prose passionnée et autres essais

Ce livre a été imprimé sur du papier 100 % postconsommation,
traité sans chlore, certifié ÉcoLogo
et fabriqué dans une usine fonctionnant au biogaz.

MISE EN PAGES ET TYPOGRAPHIE :
LES ÉDITIONS DU BORÉAL

ACHEVÉ D'IMPRIMER EN JANVIER 2012
SUR LES PRESSES DE MARQUIS IMPRIMEUR
À CAP-SAINT-IGNACE (QUÉBEC).